AN BRAON BROGHACH

MÁIRTÍN Ó CADHAIN

AN
BRAON
BROGHACH

AN GÚM
BAILE ÁTHA CLIATH

An Chéad Chló 1948
Eagrán Nua 1957
Eagrán Nua 1968
Athchló 1984
Athchló 1991
Athchló 1998

© Rialtas na hÉireann 1948

ISBN 1-85791-227-6

Leabhair Dhaite Teo. a chlóbhuail i bPoblacht na hÉireann

Arna fhoilsiú i gcomhar le hOifig an tSoláthair

Le ceannach ón
Oifig Dhíolta Foilseachán Rialtais
Sráid Theach Laighean
Baile Átha Cliath 2
nó ó dhíoltóirí leabhar

Orduithe tríd an bpost ó
Rannóg na bhFóilseachán
Oifig an tSoláthair
4-5 Bóthar Fhearchair
Baile Átha Cliath 2

An Gúm, 44 Sráid Uí Chonaill Uacht., Baile Átha Cliath 1.

CLÁR

Tnúthán an Dúchais

Bhí geataí an chalaidh á ndúnadh, agus feidhmeannaigh ag brostú na n-imirceach síos to dtí an soitheach aistrithe a bhí lena n-ardú amach go dtí soitheach mór Mheiriceá amuigh ar an ród. Ainneoin a liachtaí uair ar mheabhraíodar do Cholm Cháit Anna nár mhór dó crú a chur ina thosach, as strócántacht a dhealaíodar é faoi dheireadh agus faoi dheoidh óna chairde gaoil agus ón lucht aitheantais a tháinig á thionlacan, na deich míle sin isteach ó Sheana Choille go dtí an baile cuain.

'Tiocfaidh mé abhaile. Tiocfaidh, le cúnamh Dé. Is gearr . . .'

Phlúch na hallair agus na hollghártha cumha an chuid eile den chaint, fearacht mar a plúchadh cumraíocht an ógfhir faoi cheann ala an chloig, sa mbrúisc imirceach sin a bhí ag déanamh go drogallach, dobrónach ar an long aistrithe.

Ach ní móide go raibh ginealach eile ar an mathshlua a raibh an oiread drogaill ná dobróin ar a chroí is a bhí ar Cholm Cháit Anna. Níorbh ionann is cuid mhaith de na himircigh sin é, níor dhrogall dealaithe ná dobrón na huaire amháin a bhí ar Cholm. Arae ba dhuine é nach raibh bara na himirce riamh faoi, agus ní thabharfadh sé an tuairt seo go héag air féin dá thoiliúna féin. Níor mhó in aghaidh nádúir an bradán a choisceadh dá áth síolraithe ná Colm a dhealú ón mbaile, mar ba de dhlúth agus d'inneach an bhaile é ina chruth, ina dhealramh, ina intinn agus ina oiliúint—dá dheoin agus dá ainneoin. Cliobaire

I

mór místuama a bhí ann gan farasbarr guis ná teacht i
láthair. Ach ba mhaith an rúpálaí i dtrá fheamainne é agus
duine ag coimhlint le taoille tuile; nó i mbinse dúshlánach
móna; nó ag crinneadh boirdíní fóidín baic as creigeacha
agus as leacacha Sheana Choille. Agus bhí béasa ag siúl
leis a chuirfeadh meanma ar bhean tí, arae ainneoin nach
dtaitneodh a spágaireacht mhístuama ná sníomh a chorr-
ghualann léi, thaitneodh an mítheán giúsaí léi a gheobhadh
sé dá mbeadh carcair nó maide dubh sa tír. I dtús oíche
airneáin, agus gach uile dhuine eile den teaghlach greadta
chun cuartaíochta, ba mhaith di aici a chúnamh ag freastal
ar bheithígh agus ar mhuca.

Níorbh aranta luiteamas an ghliomaigh lena áfach ná
luiteamas Choilm leis an tinteán. Do Cholm ní cuideáin
amháin a bhí an choigríoch: shamhlaíodh sí dá cheadfaí
sóntacha mar Bheag-Árainn rosamhach a chaitheadh
sondaí uaithi anois agus arís i gcumraíocht corrphoncán
grianbhealaithe, agus 'bhaitseannaí' óir, oll-'truncannaí' buí
diamhra, agus scéalta áibhéile—an gaiscíoch ag filleadh ar
thinteán an teaghlaigh faoi chaithréim thar éis a gheasa a
fhuascailt, draíocht agus danarthacht a shárú, agus iomad
ceann na ngruagach, fios fátha an aon scéil, agus an
claidheamh solais a bhaint amach. Ba bheag é eolas Choilm
ar an bpobal ba ghaire dó, ní áirím ar an gcoigríoch, arae
ní théadh sé i dteannta aosa óig Sheana Choille chuig
damhsaí, pátrúin ná bainseacha thar phobal amach. Bhí
sine an dúchais á tháthú don tinteán, agus go dtí an lá
ar imigh sé go Meiriceá níor fhan sé oíche ó bhaile. Ba den
dúchas agus den teallach an chaint fhada sheanórtha agus
na gáirí soineanta a bhí aige. Níor bearnaíodh an dúchas
aranta sin le scolaíocht ar bith, murarbh fhiú meas
scolaíochta ar thóg sé de sheanchas, d'amhráin agus

d'fhoinn cois teallaigh, arae ó ba é an duine ba shine ar mhuirín mhór Cháit Anna é níor fhéad sí scoil ná foghlaim a thabhairt dó; agus ar an údar céanna an dá luath is a raibh sé fiche bliain agus an duine ba ghaire dó den chlann sách inchúntach, b'éigean dó scuabadh go Meiriceá.

Ba é seamsán gach uile dhuine nach dtaitheodh Colm é féin choíchin le Meiriceá—go mbeadh sé abhaile ar an gcéad soitheach eile. Agus ainneoin go mb'fhíor dóibh é nár thaithigh, ní raibh sé abhaile ar an gcéad soitheach eile, ná ar an soitheach ina dhiaidh sin, ná ar an soitheach ina dhiaidh sin, arís. Agus ba mhaith an t-údar. A phaisinéireacht 'a cuireadh anall chuige', arae ní raibh Cáit Anna in ann cailleadh leis lena chur go Meiriceá. Chaithfeadh Colm a phaisinéireacht a íoc ar ais agus ina cheann sin luach a phaisinéireachta anall a shaothrú, sula bhféadfadh sé bonn a leagan arís ar chreigeacha agus ar leacacha Sheana Choille.

2

Is é Colm a bhí ag ceannach an tsaoil ar an bhfad seo. I saotharlann brící i mBoston a bhí sé agus níor tháinig iamh ná foras air ach ag obair moch agus deireanach. Ba dhocúlach an obair í, ach dhéanadh sé an oiread breissaothair is a d'fhágfadh duine eile seangtha. Ach lá mairge níor chuir sí ar Cholm. An méid a bhí sé siar sa stuaim thug sé isteach sa neart é. Bhí tuilleadh ansin ag ceasacht pá, ag ceasacht fad an lae agus docúil agus déine na hoibre, agus caitheamh agus cáineadh acu ar Cholm faoina bheith chomh líofa ag a chuid saothair, agus chomh géilliúnach don 'mháistir'. Meabhraíodh dó go mion agus go minic go raibh sé ag loiceadh ar a chomhoibrithe agus go mba é a dhualgas a bheith sa gceardchumann. Féachadh lena chur

3

i dtuiscint dó, thairis sin. Ach ba aon mhaith amháin dóibh
é. Ar theallaigh Sheana Choille níor chuala Colm trácht
riamh ar 'scabs', ar 'trade unions', ar 'capitalist exploitation
of the working class' nó ar Karl Marx. Níor tháinig sé sa
saol gur phoibligh duine ar bith soiscéal Karl Marx i
gcaint leacach Sheana Choille . . .

Bhí sé tíobhasach barainneach. Choinnigh sé greim docht
ar gach uile chianóg rua. Chuir sé faoi sa teach lóistín ba
shaoire in Oir-Bhoston—ag iníon Mhaitiais Labhráis as
Moing na bhFeadóg—agus fuair sé riar lascaine ansin féin
thar na lóistéirí eile, arae b'iomaí giotamáil fhánach a
dhéanadh sé do bhean an tí, timpeall an chúlmhacha agus
sa siléar, aon leathuair annamh a mbíodh sé ar scor. Spraoi
ná siamsa ní thaobhaíodh sé, agus ainneoin nach raibh aon
chur suas de ghailleog fuisce aige sa mbaile, chinn sé dubh
agus dubh riamh ar a chomhimircigh ó aon phobal leis a
thaithíodh an teach lóistín é a mhealladh amach sna tithe
ósta, ná ar na geábhanna óil agus drabhláis a dhéanaidís
féin, tráth a mbíodh a bpócaí teann.

Dúirt daoine go maródh sé é féin le sclábhaíocht shíoraí
na hoibre. Dúirt tuilleadh nárbh fhiú an sclábhaíocht í, ar
scáth an luach saothair. Tuilleadh eile a dúirt go mba
antlachán de scanrachán tuatach é a bhí róchráite le dollar
a chaitheamh le clú. Agus ainneoin gur ghoill sé sin ar
Cholm, arae ba dhual dó an ghnaíúlacht agus an rabairne,
d'oibrigh sé leis ar a tháirm agus níor bhearnaigh sé oiread
is aon dollar amháin dá dheoin féin. Ní hé amháin go raibh
dhá phaisinéireacht le saothrú aige ar luas—a phaisin-
éireacht anall agus a phaisinéireacht anonn go hÉirinn arís
—ach ba mhór an tógáil croí dó an obair ar a haghaidh
féin. Mhaolaigh sé arann agus tnúthán na hintinne bonn ar
aon le harann agus meanma na colla. Ba réidhe an achair

dó rud ar bith a mheathfadh nó a cheansódh síthí agus
seársaí na cuimhne soghluaiste. B'fheasach dó go rachadh
sé i ngealta ceart críochnaithe dá mba leis a bheith ag
cuimhniú ar an mbaile faoi láthair, arae de réir mar bhí a
thnúthán leis an mbaile ag neartú in éadan an lae, b'amh-
laidh ba mhó a chol agus a charghas le Meiriceá. Ní raibh
sé mí ann san am ar thuig sé nach mbeadh sé taithithe go
brách air. Má bhí an rosamh draíochta éirithe de 'Bheag-
Árainn' féin, agus má ba é féin an gaiscíoch anois i gcomh-
rac agus i gcaismirt chatha leis na gruagaigh, agus má bhí
ag féithiú leis sa teagmháil chomh maith le aon ghais-
cíoch a chuaigh sa gcomhrac riamh, ba aon chás amháin
leis féin é. B'fhearr leis sop ar suaimhneas i Seana Choille
ná dá mbronntaí brá gill agus bruithléacht Mheiriceá fré
chéile air as ucht fanacht ann. Níorbh annamh a dhúisíodh
sé an dream a bhí in aon seomra leis lena chrónán bogúrach
trína chuid néalta codlata:

'Níl na daoine seo mar a chleacht mise, saoithiúil
                                        ná suairc,
Ach mar íomhá den ghlasdair a snoífí le tua.'

3

D'imigh bliain—bliain ab fhaide ná an tsíoraíocht le Colm.
Ní raibh ala den bhlian sin nár baineadh siar as a cholainn
agus as a intinn, ina mhúnóga allais nó ina osnaí deacracha.
Ach i gceann na bliana bhí paisinéireacht íoctha aige agus
é ar a mhine ghéire ag leagan thairis go mbeadh an oiread
cruinn aige is a dhéanfadh iomlacht dó go hÉirinn, i dteannta
'cuid an fhiúntais' agus tarraingt a láimhe ann, ar feadh
scaithín ar aon chor. Níor tháinig an oiread séimhe riamh
ar phéisteánach ag comhaireamh a chiste is a thagadh ar

Cholm gach uile uair dá gcuireadh sé dollar d'fharasbarr
ar a stór beag féin. Ba iad na 'dollars' clocha aistrithe na
cora ó Mheiriceá go Seana Choille.

I leaba claochlú san obair is éard a neartaigh Colm ar
a mhaidí. Bhí sé ag déanamh farasbarr breis-saothair an
dara bliain. D'oibríodh sé anois an Domhnach, cés moite
den leathuair a chaitheadh sé ag an Aifreann. D'itheadh
sé a dhinnéar i mbialann in aice na monarchan agus,
ainneoin nach mbíodh sé ina dhinnéar chomh maith is a
gheobhadh sé ag a theach lóistín, laghdaigh sé dola na
seachtaine go mór. Lag sé ar an bpíopa, i gcruthúnas nach
raibh sé ag caitheamh ach unsa agus 'gaimbín' sa tseachtain
anois, agus bhí sé de rún aige, i leaba a chéile, éirí as ar fad.
Ainneoin go raibh Colm chomh grádiaúil agus chomh
diaganta le haon duine dár tháinig riamh ar a chine, ba
mhinic, gan fhios dó féin, a thagadh carghas air scaradh le
pingin an Aifrinn Dé Domhnaigh. Pé acu sin é, bhí sé de
rún aige cúitiú a dhéanamh sa gcreagaireacht ach a
dtéadh sé go Seana Choille. Agus bhí gach uile shúil le Dia
aige, sula mbeireadh bliain eile air, go mbeadh sé 'ar bord
loinge ag dul anonn'.

4

Ach thosaigh litreacha fuasaoideacha ag teacht ón mbaile.
Thagadh lán a chruite de náire air agus Nóra Mhaitiais
Labhráis ag léamh dó as litir go raibh teaghlach Cháit
Anna in ainriocht, go raibh an t-airleacan caite sna siopaí
acu agus, mura raibh ag Dia, gur ghearr go dtiocfadh an
bhó sa gcíos. An chluas bhodhar a thugadh Colm do na
litreacha sin, ainneoin gur fhágadar síoraí ag déanamh
leanna ar uaigneas é.

Ba ghearr gur thosaigh na litreacha ag dul chun gangaide.

An raibh sé ag obair? Cé mhéad a bhí sé a shaothrú sa tseachtain? Céard a bhí sé a dhéanamh lena chuid airgid? Arbh iad na mná leanna a bhí ag fáil a shó? . . . Bhí scór punt curtha abhaile ina sceidíní ag mac Mháire Chóil agus ní dheachaigh sé anonn go ceann leathbhliana i ndiaidh Choilm!

Agus thosaigh na litreacha ag tuineadh agus ag dilleoireacht leis. An ligfeadh sé an chuid eile den mhuirín chun báis? An dtabharfadh sé cead dá mháthair bhocht bás a fháil leis an ocras? Ar mhiste leis a athair a chur de dhroim tí?

Ansin thosaigh an ghéaraíocht nimhe neanta. Nach mairg a thóg é. Ba é an mac ba mheasa é a d'oil máthair riamh. Ní raibh fúthu scríobh ní ba mhó, ó tharla nárbh fhiú leis oiread is freagra a thabhairt ar litir a mháthar. Déanadh sé a rogha rud lena chuid airgid anois!

Ach níor thug Colm aon toradh ar na litreacha, ainneoin go mba thairne i mbeo ann gach uile mhíle focal dá raibh iontu. Ná níor lig sé an bhá lena ais, gur inis Nóra Mhaitiais Labhráis dó oíche amháin, i gcois íseal, gur tháinig scéala i litir chuig Joe Thuathaláin go raibh fógraithe Cáit Anna agus a fear a chur as seilbh faoi bheith ina ndrochdhíolaithe cíosa le dhó nó trí de bhlianta anuas. Ní raibh a sheasamh ag Colm ní b'fhaide. Ar aon chor ní fhéadfadh sé ligean an tinteán a thógáil.

Níor tógadh tinteán Cháit Anna ar an lá cairde. Dá dtógtaí ní bheadh síoraíocht eile peiríocha ar Cholm ag biorú a stóir bhearnaithe.

5
Ach má baineadh leagan as Colm, bhí sé in ann cruachan in aghaidh na hanachaine. Mar a deireadh Beartla Mhicil

i Seana Choille, ba 'reanglamán righin a bhí ann' a raibh an tochras bog agus an fíochán crua sin air a shlánaigh a chine go minic agus an dúchinniúint ag gabháil dá maidí orthu. Ainneoin go raibh Colm chomh doghrainneach leis an dúchinniúint is a bhí sí leis, rug an tríú bliain i Meiriceá air agus gan a dhíol stóir fós aige. Ach ba mhór a mhuinín go mbeadh sé ar bord loinge ag dul anonn sula gcaití an bhliain.

Ansin thosaigh na litreacha ón mbaile ag tuineadh leis arís. A phaisinéireacht a theastaigh ó Bheartla, an dara duine ar mhuirín Cháit Anna. Chuir Colm an domhnaíocht litreacha abhaile, ag ceasacht pá, ag ceasacht oibre agus ag tromachan ar Mheiriceá. Bhí na milliúin ann nach raibh buille maitheasa le déanamh acu. 'Blacks' agus Iodáiligh a bhí ag fáil tús, agus ní raibh meas mada ar na hÉireannaigh. An té nach mbeadh Béarla go paiteanta aige bheadh sé ar an trá thirim go háirid. Bhí Beartla buille óg fós le dul ag coraíocht le sclábhaíocht Mheiriceá. Bhí sé ró-aerach, ró-luathintinneach agus rótheasaí, le bun a dhéanamh ann. Ba bheag an gnó a bheadh ag a mhacasamhail de scorach corrmhéiniúil giongach isteach i lár baile mhóir a raibh ionann is an oiread daoine ann is a bhí in Éirinn fré chéile. Thiocfadh núis air le Meiriceá agus ní dhéanfadh sé seadú ar bith ann.

Ach níor ghar é. Bhí bundún lena aithneachtáil ar bhean an tí, lena liacht litir a chaithfeadh sí a léamh agus a scríobh do Cholm. Agus ba fear i dteannta ag Beartla é, arae chuir sé i dtuiscint dó mura gcuireadh sé a phaisinéireacht chuige go mba thrua dó an baile a thaobhachtáil choíchin, agus bhí a fhios ag Colm go raibh an cur leis i mBeartla, freisin, ach é a bhaint amach.

Ansin, ar fheiceáil dó go raibh faoi Bheartla an scéal a

chur go bun an angair, samhlaíodh dó go mba leide córach ina chuid seol féin Beartla a bheith i Meiriceá. D'íocfadh sé a phaisinéireacht leis agus chuirfeadh sé paisinéireacht chuig tuilleadh den chlann. Ní bheadh call do Cholm féin an oiread a chur abhaile agus Beartla ag saothrú freisin; agus b'amhlaidh ba thúisce a d'fhéadfadh sé féin a dhul abhaile go measúil, arae bhí sé an fhad i Meiriceá anois is go mbeadh guth thar cionn air dá dtéadh sé abhaile agus gan thar chuid an bheagáin ar a fháltas. Ina cheann sin bhí smearachán foghlama in ainm is a bheith ar Bheartla, agus bheadh sé in ann freastal do litreacha. Agus ba mhór an chuideachta dó Beartla ina bhail. Níor 'den ghlasdair a snoíodh le tua' é, ach den dair óg aranta a raibh snofach agus dúchas dúshlánach Sheana Choille i ngach uile mhíle ball di. Ba ghairide an lá cairde buinneán óg den tinteán baile a bheith ina theannta ar an tinteán coigríche.

As deireadh na cúise rinne sé intinn nár mhór dó a stór a bhearnú arís.

6

'Ní hionann fad do do chúig mhéar: ní hionann tréathra do gach uile dhuine', go fiú is do chlann na haon bhronn. Súnás an dreoláin teaspaigh a dhéanas aos díobhaill chúns a fhéadas sé é agus nach meathann é féin leis an 'gcois tinn' a bhí ar Bheartla. Níor chuir an tinteán aon chluain abhus ná thall air. Bhí sé líofa chuig ceol agus siamsa agus aer an tsaoil. Ba bheag le cupla mí a bhí sé i Meiriceá nuair a bhí sé chomh taithithe air is a bhí sé ar an gceantar faoi gcuairt don bhaile. Ainneoin go bhfuair sé obair sheasta gan mórán achair, ní uirthi is mó a bhí aird aige. Ba ghearr gurbh é an áit a bhfeictí é in ollhalla damhsa i lár mathshlua ban a mbíodh a ngruanna ilchneasacha ag lonradh go greadánta faoi shoilse greadhnacha; sin nó istigh i 'saloon' ag diúgadh a ghloine i lár gruanna séidte pótairí agus fonnadóireachta scréachta, agus rachlais nimhe neanta. Uair sna naoi n-aird a d'fhaigheadh Colm deis chomhrá leis, arae bhíodh sé scuabtha gach oíche ar a theacht abhaile dó óna chuid oibre, agus ar maidin ar éirí dó bhíodh sé ina shrann chodlata, i riocht is go mba charghas leis é a dhúiseacht, agus go rachadh cuid de na lóistéirí eile a bhí in aon seomra leo le dod dá gcuirtí a gcuid codlata amú orthu. Níorbh fhada gur aistrigh Beartla go dtí lóistín ar an leathchaoin eile den chathair, mar dhóigh dhe go raibh sé rófhada óna chuid oibre mar a bhí sé. Ar scáth a bhfeiceadh Colm anois de, ba é an cás céanna dó Beartla a bheith sa mbaile in Éirinn. Ach chloiseadh sé luaidreáin faoi—luaidreáin nár chreidiúint ar bith dó iad—ón gcorrdhuine aitheantais a chastaí air sa teach lóistín. Uair amháin a tháinig sé ar cuairt chuig Colm agus bhí punt de stór Choilm aige ag imeacht dó, agus ní raibh aon uair dár thug Colm cuairt ar a theach lóistín, ag tnúthán le híocaíocht, nach raibh Beartla as baile.

Ar feadh scaithimh mhaith ní bhfuair Colm scéal ná scuan air. Oíche amháin dár tháinig sé abhaile óna chuid oibre, b'iontas leis bean an tí a fháil ina suí roimhe. Teachtaireacht a bhí aici dó ó Bheartla—ón bpríosún. Cuireadh bliain 'hard labour' air, faoi fhuinneog éadálach a bhriseadh i mbruíon tí ósta. Thug sé lena inseacht nach raibh lámh ná cos aige sa gcoir, ach breith air in aice láithreach agus gur mionnaíodh éitheach air, gur ciontaíodh é faoi go mba Éireannach é agus nach raibh aon chara sa gcúirt aige. Ach ba chuma sin anois. Ní raibh ann ach lámh na dó nó lámh na tarrthála—an phríosúntacht a dhéanamh agus a shláinte a bheith caillte aige leis nó, ar a mhalairt, lán laidhre a íoc ar chuntar is go ligfí amach ar an toirt é.

Ding di féin a scoilteas an leamhán. Deartháir a aon bhronn a bhearnaigh stór Choilm arís eile.

7

Ba mhór a thug an geábh sin a chomhairleachan do Bheartla, ainneoin nárbh annamh fós féin a tharraingíodh sé síothmálacha air féin. Bhí Colm i ndubhimní faoi i dtólamh. Ba réidhe an achair dó, dá réir sin, Beartla ag déanamh an rud a rinne a leithéid riamh as meathrabharta an drabhláis—bean a phósadh. Ó tharla nach raibh bonn bán ar Bheartla ar phósadh dó, bhí a fhios ar Colm nach mbeadh sé ina cheann fine aon cheo a chur abhaile go ceann fada agus, dá mbeadh féin, nár ghar a leithéid a shamhlú leis an dearg-Phoncán de bhean a phós sé.

B'éigean do Cholm paisinéireacht Phádraig agus Bhríde a íoc amach. Bhí Pádraig tíobhasach, ionmhasach, agus nuair a gheobhadh sé an t-ardú a bhí geallta dó bheadh Colm ar sheol na braiche. I bhfoisceacht seachtaine don ardú pá a bhí sé, an lá ar maraíodh den scafall é. D'fhág sin cúram an bhaile fré chéile ar Cholm arís, arae ba ghearr uirthi féin a raibh Bríd a shaothrú agus, ar aon chor, phós sí ar a bheith bliain curtha do Phádraig. Níor shú salún i mbéal bulláin an corrphuintín gágach a bhí sí in ann a chur abhaile uaidh sin suas.

Ba mhór an babhta ar Cholm go raibh air Murchadh agus Cite a íoc amach i bhfoisceacht leathbhliain dá chéile, ach is é an rún a bhí anois aige a dheartháireacha agus a dheirfiúracha ar fad a thabhairt amach, i riocht is go mbeadh an tinteán sa mbaile aige faoina mhullóg féin. Chuirfeadh sé athnuachan ar an teach, dhéanfadh sé faileanna muc agus cróite bó agus, i dteannta an phreabáin talún a bhí ag gabháil leis an teach, b'fhéidir go n-éireodh leis gabháltas eicínt eile in aice láithreach a fháil le ceannach. Bhí talamh ar shladmhargadh sa ruta sin, faoi rá is go raibh na daoine ag bánú as éadan agus ag tabhairt Mheiriceá orthu féin. Sin é an uair a bheadh sé ar sheol na braiche ceart críochnaithe. Bheadh an teolaíocht aige ar a nádúr féin.

Cé go raibh Colm ag obair leis síoraí, ní raibh sé baileach chomh hantlásach chuig an saol is a bhíodh. Théadh sé chuig an 'night school' ar feadh an airneáin anois, agus bhí sé ag cruthachtáil chomh maith sin leis an bhfoghlaim nár chall dó a bheith i dtuilleamaí aon duine feasta lena chuid litreacha a léamh dó ná a scríobh. Chaith sé riar maith den bhreis-saothar agus den obair Dhomhnaigh i gcártaí agus dhéanadh sé corrgheábh scíthe thairis sin. Bhí sé éirithe chomh dúlaí sna leabhra is go mba charghas leis iad a leagan thairis le dul amach ina chion posta. Níor lúide a stór seo, mar bhí an-ardú dó anois thar is an chéad am ar tháinig sé anall, agus ina cheann sin bhí malairt oibre aige sa monarcha, mar ghíománach d'fheidhmeannach a roinne féin.

D'fhág sin go raibh pingin mhaith in ainm Choilm sa Secure Investments Company—sórt bainc nua-aoiseach ar moladh dó a chuid airgid a chur ann, i ngeall go n-íocfaidís ionann is a dhá oiread gaimbín le haon bhanc eile sa gcathair. Maidin Shathairn dár bhuail Colm síos go dtí an banc seo le cion paisinéireachta Nóirín, an dara duine ab óige sa mbaile, a tharraingt, chuir sé iontas air mathshlua chomh mór a bheith cruinn ann an tráth sin de lá. B'éasca do Cholm údar an cheiliúir aird acmhainnigh agus an bhrú bheophianta a chur le bonn, arae bhí na scórtha dá

lucht aitheantais agus dá chomhoibrithe ar an gcruinneáil.
Cúrsaí cneámhaireachta fré chéile a bhí sa Secure Invest-
ments Company. Bhí an comhlacht tar éis 'dúnadh'—tar
éis 'a dhul i mbá' a dúradar féin—agus na mílte punt de
thaisce agus de thíobhas na mbocht imithe ar throigh gan
tuairisc. Bhí taisce agus luach sláinte Choilm—i ndáil le
gach uile phingin de—imithe, freisin.

8

Ba mhór dá fhonn a bhí ar Cholm a phaisinéireacht a
iarraidh ar an gcuid eile den chlann, a dhul go hÉirinn as
láimh agus a chuid agus a chostas a chur ar Rí na nGrást
uaidh sin amach. Ach ar ghlacadh staidéir leis féin, ain-
neoin a raibh de thnúthán aige sin a dhéanamh, b'fhacthas
dó nár chríonna agus nárbh inmholta an beart é. Náireodh
sé é féin agus náireodh sé a mhuintir dá dtéadh sé abhaile
agus a dhá láimh chomh fada le chéile. Thairis sin féin, ní
raibh aon bhaint den bhaile aige. Ainneoin gurb é a choin-
nigh snáth faoin bhfiacail leis an tinteán ó d'fhág sé é, ina
dhiaidh sin is uile, de réir 'dlí na himirce', b'in é lom dearg
a dhualgais agus ba bhrú ar an doicheall dó a bheith ag
súil leis 'an áit' ar an gcuntar sin amháin. Ní raibh Meiriceá
gan rud eicínt a mhúineadh dó faoi theolaíocht agus
faoi shó an tsaoil. B'fhurasta aithint dó, dá dtéadh sé
abhaile folamh agus dá mba i ndán is go bhfaigheadh sé
an t-áitreabh féin, nach é amháin go mbeadh sé ag cráca-
mas agus ag stangaireacht leis an saol go dtéadh sé i
dtalamh, ach go mba mheasa an crácamas agus an stan-
gaireacht a bheadh air ná ar aon duine dár tháinig roimhe
san áitreabh céanna. B'fhacthas dó agus an phá a bhí dó
anois, agus an t-ardú a bhí dlite dó go gairid, nach mbeadh
sé thar bhliain go leith, nó cupla bliain ar a fhad, ag

saothrú díol a fhreastail. Bhí ocht mbliana istigh aige i
Meiriceá cheana. Cér chás dó cupla bliain eile? I gceann
an ama sin bheadh Micil—croitheadh an tsacáin—in inmhe
le teacht go Meiriceá, agus d'fhágfadh sin an baile faoi
féin.

Chuir Colm stuaim ar an bhfoighid, ar an tnúthán a bhí
aige leis an mbaile agus ar an gcarghas a bhí aige le
Meiriceá. Chaith sé in airde na leabhra agus d'ionsaigh air
leis an mbreis-saothar arís chomh dian is a bhí riamh. Leag
sé thairis gach uile phingin, agus ní raibh sé chomh sleamh-
chúiseach leis an taisce a chuir sé air is a bhí cheana. Bhí
muinín aige, dá maireadh dó ar an táirm sin, go mbeadh
riar a cháis aige faoi cheann bliana.

Ainneoin gur dhúirt a mhuintir gurb é an t-airgead a
d'imigh air a ghoill ar a intinn, b'éagóir a rinne Colm air
féin. Bhí sláinte an bhradáin aige agus urrús thar mar is
dual dá chine, ainneoin cáil an urrúis a bheith amuigh
orthu ar fud an domhain. Ach chuaigh Colm sa mbile
buaic lena shláinte, lena urrús agus lena fhulaingt. I
dteannta na sclábhaíochta síoraí, níor chuidigh an síor-
chuibhriú i mbroinn cathrach mífholláine le ginealach a
cuireadh dá nádúr.

Níorbh fhiú biorán a raibh de shiocair aige—ainfhliuchán
a fháil oíche amháin ag teacht abhaile óna chuid oibre.
Ba bheag an tsuim a chuir sé riamh i bhfliuchán, agus ní
mó ná sin an tsuim a chuir sé sa bhfliuchán sin. Cé gur
chuir bean an tí aithne air malairt éadaigh a chur air
féin, níor thug sé d'aird uirthi ach goradh a thabhairt dó
féin le tine go raibh an ghail bhruite ag éirí as a chuid
breacán. Tholg sé casacht as, ainneoin go ndeachaigh sé
ag obair i gcaitheamh dhá lá ina dhiaidh sin. B'éigean dó
an leaba a thabhairt air féin as a dheireadh agus, cé gur

ghearr nár fhan pian ná tinneas air, ba luí gorálach é agus
bhí liostachas bliana air ionann is ar fad.

Ní raibh aon bheirt de na dochtúirí a tháinig ag breath-
nú air ar aon intinn faoi. Dúirt dochtúir díobh gur
tholg sé galar ar thug sé ainm ardnósach eicínt air as an
bhfliuchán agus, murach a fheabhas ,is a thapaigh sé é
agus fios a chur air féin, go rachadh sé chun ainsil air.
Dochtúir eile a dúirt nach ndeachaigh sé roimhe in am—
nár chuir sé fios air féin in am. Duine eile a dúirt go raibh
a chroí buille fabhtach agus, ainneoin go mb'fhéidir nach
dtabharfadh sé giorrachan saoil go deo dó, nár dhóigh de
sin ná go dtabharfadh sé uaidh de phlimp. Níor mhiste
dó bheith san airdeall faoi, gan mórán caitheamh a chur
i dtobac ná in ól, gan anbhá ná imní a ligean lena ais agus
síoróip a mhol sé dó, agus a chosnódh tuilleadh agus deich
scilleacha an buidéal, a chaitheamh féiltiúil dhá cheann de
lá. Ba é barúil tuilleadh acu nárbh é an fliuchán a ghoill
chor ar bith air agus nach raibh a dhath ar a chroí, ach
gur scíth agus claochlú sa saothar nár mhór dó. Níor lia
dochtúir ná barúil agus níor lia barúil ná íocaíocht.
Mhealladar an t-airgead ó Cholm. Mhealladar óna dheir-
fiúracha agus óna dhearthair, óna chairde gaoil agus óna
lucht aitheantais, é ar a shon.

Ba Cholm sportha é arís tar éis an liostachais.

9

Ainneoin go raibh Colm ar a sheanléim arís agus ar a chóir
féin i gcosúlacht, ba mhór a chuaigh an ruaig sin tríd agus
ní raibh sé chomh fulangach ina diaidh ar sclábhaíocht is a
bhíodh. D'aithneofá, freisin, ar an dronn beag a tháinig
sna slinneáin, agus ar an gciumhsóigín liath a bhí ag
caithriú ina fholt os cionn na gcluas, go raibh an óige ag

téaltú léi go righin réchúiseach. Ach an fuíoll tinnis ba
mheasa a d'fhan ar Cholm, nach raibh an cruachan in
aghaidh na hanachaine ann ní b'fhaide. Bhí beo a anama
ionann is rodta ag giúrainn an anamhantair. Thóg an
domlas agus an domheanma binn ar a chroí, i riocht is
nach raibh ina cheann fine glúin a chur le glia ná aghaidh
a chur le himghoin ní ba mhó, i gcomhrac leatromach
an tsaoil.

Má chaith Colm riamh pósadh ina cheann i Meiriceá
níor lig sé sin amach. Anois, nuair a tosaíodh á shamhlú
leis, níor dhúirt sé 'thú ná mé'. San am ar thosaigh a
dheirfiúracha ag déanamh cleamhnais dó níor dhúirt sé
'thú ná mé' ach an oiread. Tháinig an oiread iontais ar a
lucht aitheantais seisean go bpósfadh sé aon bhean is a
tháinig ar lucht aitheantais na mná gur phós sise é, arae
d'fhág a haintín greadadh airgid aici lena huacht. Is é an
leagan a chuireadar ar an scéal as a dheireadh, murach í
a bheith ina baintreach agus ag dul in aois—bhí sí ar
bhruach an dá scór—nach bpósfadh sí fear nach raibh
leathphingin rua ar a fháltas agus gan a shláinte thar
mholadh beirte. Ach arís ar ais dúirt lucht fabhairne Choilm
go mba mhaith di a fháil—fear a bhí deich mbliana ní
b'óige ná í—agus ar aon chor nach bpósfadh sí an chéad
fhear ach le saint ina chuid airgid, agus go raibh sí i ndiaidh
Choilm sular phós sí an chéad lá riamh. Bhí ceart ag Colm
aithne mhaith a bheith aige uirthi. Ainneoin go mba i
Meiriceá a rugadh í, tugadh go hÉirinn í in aois a trí
mblian i ngeall ar bhás a máthar, agus abail a sean-
mháthair—Neile Thaidhg—i leathbhaile thiar Sheana
Choille a tógadh í, go ndeachaigh sí ar ais arís go Meiriceá
ar shárú an scóir.

Tháinig a mhisneach agus a mheanma an athuair do

Cholm leis an bpósadh. Ní hé teampán an airgid a bheadh air anois ar aon chor faoi shítheadh a thabhairt 'anonn'. Ba mhór é a mhuinín go bhféadfadh sé an oiread cluana a chur ar an mbean is go mbeadh sí sásta cuairt féin a thabhairt anonn. Dá bhfaigheadh sé thall í chor ar bith ar a nádúr féin i Seana Choille, cá bhfios nach mbeadh sé, in aice chúnta Dé, in ann barr cluana a chur uirthi fanacht ann ní ba mhó, ar mhaithe lena shláinte féin? I dtosach báire ní raibh locht ar bith aici ar an gcuairt, ach go raibh sí á chur ar an méar is faide ó lá go lá. B'fhéidir di rún Choilm a bhrath, mar bíonn grinneas nimhe neanta ó Dhia agus ón saol sna mná i gcúrsaí den tsórt sin. Ach braitheadh nó ná braitheadh, thug sí lena inseacht dó faoi dheireadh agus faoi dheoidh go mb'fhearr dó éirí as an leathrann faoi gheábh go hÉirinn, arae go raibh sí ar malairt intinne faoi sin. Ní raibh aon rún aici anois an tír sin a thaobhachtáil go brách, agus má ba le Colm tinteán suaimhneach a bheith aige níorbh inmholta dó geábh go hÉirinn a shamhlú léi féin ní ba mhó. Ba é Meiriceá fóidín an ádha agus, fearacht a leithéide i gcónaí a fheiceas an dá shaol, ní bhfaigheadh sí óna claonta scaradh seal achair féin leis an áit ar rith an t-ádh chomh maith sin léi. Ina leaba sin d'ardaigh sí Colm léi ag déanamh aeir i gcaitheamh trí seachtaine sna Rockies —áit a thaitnigh leis thar cionn agus a mhéadaigh a thnúthán leis na cnoic a d'fheiceadh sé ó dhoras a bhotháin i Seana Choille . . .

Le teacht na clainne b'fhurasta a aithint do Cholm nach mbeadh aon ghair aige lán a shúl a bhaint as na cnoic sin arís nó go n-éiríodh an chlann suas agus go mbeidís neamh-thuilleamach sa saol. Ansin bheadh cead a choise aige agus an oiread stóir dá chuid féin is a thabharfadh só dó as deireadh a shaoil i Seana Choille.

17

10

Agus caitheadh na blianta arís. Murar bhlianta fíoran-
róiteacha a bhí iontu do Cholm agus dá mhnaoi, ba bhlianta
sách imníoch, sách priaclach dóibh iad ag oiliúint na
clainne. Ainneoin go raibh Colm ag obair leis i gcónaí, ní
raibh inti ach caitheamh dairteacha ar ghualainn na
sclábhaíochta ab éigean dó a dhéanamh sular pósadh é.
Bhí cion posta 'measúil' anois aige, ina leasrúnaí in oll-
saotharlann troscáin agus b'ionann is go raibh sé ar a
chomhairle féin faoi chúrsaí ama agus oibre. Ní raibh baol
go gcuimleofaí sop na geire dó an athuair leis an airgead
agus, dá réir sin, d'éirigh a scair féin leis de shó agus de
shocúil an tsaoil—an só agus an socúil a fhearas ar dhuine
ó theacht isteach maith seasta, ó theach áirgiúil, ó bheathú
ar fónamh, ón sásamh intinne nach cruóg do dhuine a
bheith in imní faoin 'gcois tinn'.

Bhí sé féin agus a bhean lánghafach lena chéile agus, rud
nach bhféadann mórán lánúineacha a rá, ba bheag focal
aranta a tháinig eatarthu riamh, ainneoin gur i méid a
bhí a col sise ag dul le hÉirinn, de réir mar a bhí a luiteamas
le sáimhe agus le só Mheiriceá ag neartú.

Bhí gean agus gnaoi ag Colm ar a chlann, agus ba mhaith
an aghaidh sin orthu, arae ba ghasúir mheabhracha mhúin-
te iad. An t-aon locht amháin a d'fhéad Colm a fháil orthu
go mba chóimhéad a n-aineolas agus a neamhshuim in
Éirinn agus col na máthar leis an tír sin. B'fhéidir go mba
chríonna an mhaise do Cholm béal marbh a bheith air faoi
chúrsaí nach bhféadfadh a tharraingt ach siúite agus
scliúchas ar a thinteán féin. Ar aon chor is amhlaidh a
bhí; agus d'fhág sin nach dtráchtaí ar Éirinn anois ar an
tinteán ach an uair a mbíodh barrthuairisc uafásach eicínt
faoi go suntasach ar pháipéir Mheiriceá—gorta, dúnmharú

tiarna talún, nó oileán scoite iargúlta eicínt a bhí ag fáil call agus angair leis an fhad seo aimsire le síoraíocht gairfin agus farraigí áibhéalta. Uair annamh a d'fhaigheadh Colm faill seanchais faoi Éirinn anois. B'fhada ó chéile a théadh sé ar cuairt chuig a mhuintir féin, agus uair sna naoi n-aird a chastaí i gcomhluadar Éireannach é. Scéal ná scuan ní thagadh chuige ón mbaile in Éirinn anois. Croitheadh an tsacáin arbh é a ghéarchuimhne Colm, mar ní raibh ann ach piodarlann ar imeacht go Meiriceá dó, bhí sé pósta le fada agus an tseanmhuintir le fada, freisin, ag déanamh créafóige i reilig na hAille Báine.

Agus ba Phoncán críochnaithe é Colm ina chruth agus ina dhealramh. B'fhada an mhístuamacht imithe as a shiúl agus as a shlinneáin, agus ba é an bearradh céanna a bhí ar a chroiméal is a bhí ar chroiméal na bPoncán, na nIodáileach, na nGearmánach, na bPólannach agus na nGiúdach a bhí in aon chathair leis. Bhí sé bord ar bhord le luainneachas na haimsire ina chuid éadaigh, agus ba bhealaithe óna theanga casadh ar bhéarlagair na bPoncán.

Ba íocshláinte croí le Colm a fheabhas is a bhí an chlann ag cruthú leis an bhfoghlaim. Mac gliondarach a bhí ann an lá ar bronnadh dindiúirí lia ar Noel. Níor thaise leis é an lá a raibh sé sna cúirteanna agus gairm dlíodóra ar a iníon Marigold. Ach an lá a raibh cluaisíní croí críochnaithe air ba é an mhaidin é a raibh sé umhlaithe i láthair Dé san Ard-Teampall agus an tEaspag ag teacht amach leis an gceann ab óige—Albert, a leoinín féin—a chur faoi ghráibh sagairt.

Ba bheag an dochar dó a bheith bródúil astu as ucht mar chruthaíodar ina dhiaidh sin. Bhí ceann de na pobail ba mhó san Iarthar faoi urláimh an Athar Albert. Phós Noel iníon ridire miantoll as Montana agus bhí sé ar dhuine de

na lianna ba chlúitiúla i Nua-Eabhrac. Agus an lá a
ndeachaigh brat pósta ar Mharigold le mionbhreitheamh
den Stát bhí Colm chomh croíúil giodamach sin gur
strachail sé a bhean féin amach ar lom an urláir, go ndear-
nadar geábh den Pholka i dteannta na maithe agus na
mionuaisle a bhí cruinn.

Ó bhíodar i gcrích uile go léir ag Colm anois, agus
neamhthuilleamach air féin, b'fhacthas dó go raibh sé thar
am aige an geábh saoire sin a raibh sé ag tnúthán le blianta
leis a fháil . . .

Má ba dheireanach féin é b'fhearr é ná go brách.

I I

Ar a bheith dá mhuirín ar fad i gcrích aige ba mhór é
muinín Choilm go bhfaigheadh sé a bhean leis ar sheol na
braiche faoi dheireadh thiar. Bhí sise ag fuasaoid le scaith-
eamh agus chinn sé ar na dochtúirí mórán breithiúnais a
fháil uirthi, ná mórán maitheasa a dhéanamh di, ainneoin
a bhfuaireadar dá hanró. Pian ná tinneas ní raibh sí a
éagaoineadh, ach go raibh lagar spride uirthi—ruaigeanna
lionnduibh, neamhchodladh amanta agus lionrú ar bheagán
siocair—b'in é an méid. Ach b'fheasach Colm nár bheag di a
dhonacht agus go mba ghalar gorálach é sin nár mhór a
ghiollaíocht go hairdeallach, nó go bhfaigheadh sí rud le
déanamh agus é a bharraíocht, go háirid ó bhí tonnaois
mhór aici faoi seo.

Dá réir sin ba é an cleite comhrá céanna a choinnigh
Colm seadaithe go síoraí anois. Gach leabhar dár chean-
naigh sé, gach irisleabhar dár fhág sé ar sliobarna go sleamh-
chúiseach ar fud an tí, gach duine dár thug sé ar cuairt,
gach pictiúr dár thug sé chuige í, ba le borradh lena
gealgháire agus le laghdú ar a lionndubh é. Léigh sí an

draoi dréacht faoin Eoraip, faoi thurais don Róimh, go
Napoli, go Páras. 'Taibhríodh' an iomad uair os comhair
a súl na sleamhnadóirí ar linntreacha reoite na hEilbhéise,
aos aermaíochta i maolchnoic na nAlp, na fámairí mac-
nasacha ar thránna na Briotáine nó i Ríocht na mBasc. Ar
a teallach féin d'éist sí le daoine a raibh an galar ceannann
céanna orthu is a bhí ag gabháil di féin agus d'insíodar di
mar a thug iomlacht na Meán-Mhara i sólong léas nua
ar a saol dóibh, ainneoin a mbeith thar mheabhair aos
leighis. Ach i leaba a bheith líofa chuige, is éard a théadh
an galar chun ainsil uirthi dá samhlaítí amháin malairt
aeir léi. Ba aon chás amháin léi iomlacht na Meán-Mhara
a mheabhrú di le hiomlacht abhainn Hades; nó turas don
Róimh le turas go Mecca; arae b'fheasach di go maith an
chloch ba mhó ar phaidrín Choilm, agus bhí rún aici gan
Éire a thaobhachtáil go héag.

B'éigean do Cholm a sheolta a thógáil go dtí na Rockies
agus go dtí Niagara, go dtí an Golden Gate, go dtí mion-
bhailte fámaireachta Maine agus iomlacht Mara Mexico a
dhéanamh i ngleoiteoga a bhí chomh gléigeal gáifeach le
féileacáin i lagphortaigh Sheana Choille lá samhraidh . .

Bhí a fhios aige faoi seo nárbh fholáir dó a thnúthán a
cheansú go dtéadh na seacht sluaiste ar a bhean.

12

Ba é ráite gach uile dhuine gur in aois na hóige a bhí an
bhean ag dul agus gurbh é cloch neart Choilm é nó go
bhfeicfeadh sí fód fós air. Ní fhaca daile. Cailleadh í sa
deireadh agus má cailleadh, ba le haois é. Ach ba chuma
sin. Cailleadh í ar aon chor, agus cuireadh í san anlacan
a cheannaigh Colm thar barr amach i gcomhair a theagh-
laigh agus a shleachta. Ba chuid suntais an leacht cuimhne

a cuireadh ar a huaigh. Ainneoin nach raibh sí as cuimse le daoirseacht ná le gairéad, ba bhall breá í ar shaoirsine agus ar shnoíochan. Níor thaobhaigh Colm cóisir ná cuideachta i gcaitheamh na bliana sin ach ag déanamh leanna i ndiaidh a mhná agus ag saothrú luaíochta le cur lena hanam. Gairid tar éis na bliana a bheith istigh bhí gach uile shórt faoi réir aige i gcomhair an iomlachta, an teach suite, a phaisinéireacht agus a áit ar an soitheach in áirithe, a uacht déanta ó láimh dlíodóra i riocht is go bhféadfadh sé a rogha athrú a chur uirthi ina dhiaidh sin dá dtograíodh sé é.

Bhí gairm scoile faighte uaidh ag a chairde le theacht chun cóisreach an oíche sula raibh sé le Meiriceá a fhágáil. Oíche chroídhílis a bheadh inti, an t-aon oíche chroídhílis a bhí aige in imeacht a leathchéad blian 'thall'. Bhí faoi leidí a thabhairt dá chlann féin—bhíodar triúr geallta ar a bheith i láthair—gan a bheith ag súil ar ais leis go ceann fada. B'fheasach dó go rachaidís i ngealta críochnaithe agus go bhféachfaidís le guaim a chur air dá ligeadh sé a rún leo go hiomlán. Dhéanfadh scríbhinn cúis faoina chomhair sin, ach a mbeadh sé tamall sa mbaile. Uair sna naoi n-aird a chonaic an dream ba theanntásaí féin a bhí air aon lorg óil ar Cholm. Ní raibh cur suas riamh do dheoch aige, nó ó phós sé ar chuma ar bith, ach b'annamh leis a dhul thar trí nó ceithre cinn i mbéal a chéile. Ba mhór an t-iontas leo mar sin an táirm óil a bhí air oíche na cóisreach. D'ól sé gloine ar an ngloine de dheochanna borba bríomhara leis an bpótaire ba chorónta dá raibh ann. De réir mar d'éirigh an t-ól ina stuaic chuaigh an chaíúlacht agus na cóirí catha i gcártaí. Sceith béarlagair Mheiriceá dá theanga mar a sceithfeadh screamhóg chailimhineoige de linn ach an docht uisce ag fáil cead reatha.

Níor chóir ná níor chaíúil an mhaise dá chlann a bheith sa mullach ar Cholm faoi rá is an cleas a rinne sé. Níor fhágadar féin aon bhreith agus dá roghain aige sa scéal. Ghair Marigold sláinte na cathrach, ghair Noel sláinte na mban agus ghair an sagart an tsláinte ba chóir a fhágáil faoi fhear an tí, murach gur shíl sé nach raibh sé in arraíocht a dhéanta le a raibh ar bord aige—sláinte 'ár n-aíonna'. B'fhurasta a aithint do na haíonna go raibh Colm in arraíocht chainte ar chaoi ar bith agus shíleadar, in ómós an oinigh a bhí sé a thónadh orthu go barr bachall, nár mhór de chúitiú dó cead cainte a thabhairt dó faoi shásamh. Ba bheag an tuineadh ba chall dó lena bhaint amach. Ó tharla nach raibh aon sláinte fheiliúnach fágtha aige fuair sé cead le toil na cuideachtan a rogha sláinte a ghairiúint.

Níor mhó d'olc agus d'éigéill a chlainne ná dá n-iontas agus dá n-uaibhéaltacht ar thionscailt dá n-athair i gcaint nár cloiseadh siolla di as a bhéal le daichead bliain—caint an bhinse móna agus na trá feamainne—caint leitreach leacach Sheana Choille:

'Gairim 'ur slainte—sláinte thar shláintí—sláinte na hÉireann! . . . Sláinte na hÉireann is gach condae faoi dhó, is an té nach maith leis an méid sin ná raibh sé i bhfad beo.'

Ní raibh aithne deoire ar Cholm ar an toirt. An chuideachta a bhí cruinn ansin, cuideachta aosa dána agus ceannaíochta a mbíonn meas uaisle acu orthu féin agus a bhíos drochmheasúil ar an rud nach dtuigeann siad, ba ghearr gur théaltaigh faoilte na fonóide as a súil agus cruinniúchaí an mhagaidh dá mbéal. Ainneoin nár thuigeadar smid ó Cholm, agus go raibh mórchuid acu nárbh eolas dóibh ó neamh cén teanga í féin, bhí cáilíocht eicínt ag siúl le glórtha an fhir, le faghairt na súl, le luisne lasúnta a ghrua, le fíriúlacht an allagair, a bhréag an éigéill agus a bhain an ghoimh as an aithis a tugadh dóibh, dar leo féin. Ba é Colm Ridire an Gháire Dhuibh ag altú go raibh na geasa fuascailte agus an gean gáire a baineadh de go héagórach ag maidhm air arís, tar éis cianta léin agus lionnduibh. An docht cainte a bhí calcaithe ag teampáin an choimhthís, bhí sí ag teacht anois ina díle le slaitín draíochta an dúchais. Faoi dheireadh agus faoi dheoidh, ar scoireadh do Cholm, tar éis Éire a mholadh agus Seana Choille—'cruithneacht Éireann'—a shainmholadh, fuair sé an-ghleadhradh bos agus baineadh troimpléasc as cuacha. Ba ghalar tógálach a bhí ina spleodar, ainneoin gotha gruamánta a chlainne féin.

Ar aistriú don ghrianán dóibh, áit ar cuireadh mire ar cheol agus ar dhamhsa, farasbarr spleodair a tháinig ar Cholm. Cé go ndeachaigh an chlann go bog agus go crua air ag iarraidh cur faoi deara dó éirí as, chuaigh Colm sa mbile buaic leis an oirfide go gcastaí 'jig' dó. Ach ó nárbh fheasach dóibhsean céard a bhain do 'jig', chas Colm an port as a bhéal féin agus dhamhsaigh sé dá réir. Tar éis an fíbín sin a chur de chrap sé féin agus triúr nó ceathrar seanphótairí leo isteach i gcailleach ar leathchaoin ó dheas an ghrianáin, áit a raibh amharc maith acu ar an siamsa, ach ina raibh cúlráid óil, seanchais agus fonnadóireachta acu, gan aon teampán a chur ar an oirfide ná ar an gcuid eile den chuideachta. Bhí an chailleach taobh le meath-sholas, agus trí na fuinneoga áirgiúla ar dheisiúr an ghairdín bhí geaslóchrann meata leis idir na crainn. Théaltaigh an ghealach siar ar chúla arrachtaigh uaibhéalta de gheasa-matar, ach bhí a lóchrann ag folcadh gach aon tsórt dá raibh idir iad agus léas.

'Oíche álainn spéirghealaí! Is maith ina chéile lán

gealaí agus iomlacht. Beidh an ghealach agat ag dul anonn, a Choilm! Is maith is cuimhneach liom oíche a raibh mé ar shó-iomlacht i Muir Mhexico. D'fhan mé ar chlár na gleoiteoige go raibh an oíche caite thar droim, ag cur cronaí sa bhfarraige faoi lóchrann na gealaí. Ba mhór . . .'

'Éist do bheal, a Aloysius. Má thugtar cead dó, a Choilm, baint as soiscéal na gealaí beidh oíche eile caite thar droim sula dtaga iamh ar a bhéal. Caithfidh mé gealach ar fad a thabhairt de bhronntanas duit, ach a dtaga cothrom do lae breithe. B'fhearr duit féin amhrán a rá, a Choilm.'

'Níor dhúirt mé aon amhrán le daichead bliain.'

'Cén dochar! Is fearr go deireanach ná go brách!'

Bhí an grianán faoi seo ina chaor thinte siamsa. Geoin mhín na mban agus na bhfear le balla ag cumascadh le seabhrán géar gúnaí nuacheannaithe, le gáirí ar mhó den ghangaid ná den ghile iad, agus le culghaire tomhaiste an damhsa ar na cláir bhealaithe. Siamsa, béadan, nó coiriúint ar a gcomharsa is mó a shantaigh an mathshlua sin. Má bhí seala díobh ar a dtáirm ag samhlú mímhúineadh le Colm faoi dhul ag fonnadóireacht agus damhsa ar siúl, bhí seala eile nár mhiste leo dá gcuireadh sé a lúth amach, chúns nach dtiocfadh sé salach ar an oirfide. Ach an dá dhream chomh maith le chéile ní raibh a dhath spéise acu inti mar fhonnadóireacht, ó tharla í a bheith i dteanga nach bhfuaireadar blas na nuaíochta uirthi tar éis uaire an chloig. Mar sin ní raibh d'aird ar ghlórtha Choilm ach an oiread le glór cadhain ar bhord an churraigh domhain san oíche.

Cumhúil goilliúnach a bhí an chéad cheathrú, fearacht caoindord bréidín mara ag briseadh ar thrá:

'Mo shlán duit, a Mhuirisc, a bhí siamsúil suairc,

Is do na sléibhte breá meala ar an taobh theas den
Chruaich,
Ba bhinne liom guth roillí ag siúl chois na trá
Ná ceolta na cruinne ar an taobh thall den Chlár.'

Shníomh sé a ghlór sa dara ceathrú, go raibh sé mar a
bheadh sinneáin ghéara ghaoithe ann ag scréachalach trí
bhruíon bhánaithe:

'Nuair a éirím féin ar maidin is dhearcaim i bhfad
uaim siar an Chruaich
Bíonn mo chroí istigh ar mire is m'aigne go buan;
Níl na daoine seo mar a chleacht mise, saoithiúil
ná suairc,
Ach mar íomhá den ghlasdair a snoífí le tua.'

Thionscail sé an cheathrú dheiridh go lách soineanta,
ach is é a raibh ráite 'dá bhféadainnse féin', san am ar
bhris buinneáin an ghutha ar an 'é' sínte sin. Tháinig
racht mionchasachta air agus clochar cáithíle ansin.
'Uireasa cleachta. Tá an t-ól ag teacht ina aghaidh',
arsa Aloysius. 'Beir air.'
Bhreathnaigh an fear óg lomleicneach a bhí ag brú
carthanais ar bhean an cheannaí siopa aníos:
'Tá sé ina chnap meisce. Is mór an t-ionadh nach bhféad-
fadh daoine a theacht lena ndóthain,' arsa seisean, agus
díol Poncáin ar bith d'fhonóid ina ghlór. Thit an geolán
ón ainnir óg a raibh saothar an damhsa inti, agus ar a
thógáil don drugaera fionn feosaí thug sé súil chaidéiseach
i ndiaidh a leicinn isteach sa gcailleach. D'umhlaigh an
tAthair Albert go múinte don phuisbhean iata a bhí i
gceannas ceann ar Chumann San Uinseann de Pól sa ruta

sin agus ghabh sé a leithscéal ón seomra amuigh, áit a raibh sé ag taispeáint pictiúr éadálach do roinnt cairde leis. Ach cheana féin bhí Marigold thíos sa gcailleach agus í ag glaoch 'Papa, Papa', gan aon toradh . . .

'Angina Pectoris' breith an choiste. Ní mé cén leagan léannta a chuirfeadh aos leighis ar 'Thnúthán an Dúchais'?

An Gheis

CHUAIGH Neile suas go dtí an fhuinneog ab aeraí sa teach nua, fuinneog na binne thiar. Ní raibh ginealach ag corraí —ní hé a fhearacht sin is Domhnaigh eile é—timpeall an Choláiste Gaeilge thuas ar Dhroim na Móna. Ná ní raibh le cloisteáil ach gleo gártha na ngasúr ag bualadh deis síos amach sna garranta, agus lonnadh lách na taoille sa nglaschuan a bhí mar bheadh ollphéist ann ina cúb idir an dá ros, Ros Rua agus Ros Saileach. Bhí amharc ag Neile síos chomh fada le Gob na Corainne. Níor léir go dtí an scothach sin ach camas caol an ghlaschuain nach raibh seol ar a fhuaid, ach súileoga loinneartha teaspaigh ag briseadh air faoin ngréin ghreadánta, cés moite go raibh ciumhaiseog scáinte chúir bháin ar Mholán Chaitlín i gcoigéal an Ghoib. Níor fhéad Neile gan cronaí a chur sa gcoipeadh beag goimhiúil a bhí faoi gcuairt don spiacán fealltach sin, ainneoin go gcoinníodh sí a súile di, ón lá sin fiche bliain go samhradh seo, ar bháigh sí a fear i dteannta an dáréag eile a bhí ag teacht abhaile tar éis a bheith ag déanamh aeir i gCaladh Bhéara. Ba mhaith ba chuimhneach le Neile an lá sin ar tháinig an dúchinniúint ag gáirí chuici, lá aoibhinn samhraidh mar an lá inniu. Ag scagadh an uisce as fataí an dinnéir a bhí sí, thíos sa seanteach, san am ar gheit 'an siota' gártha í agus ar chroith an sceach gheal ar chúla an tí, mar bheadh nathair cholgach ann ag spré nimhe as a moing. B'iomaí siomóid a chuala Neile an lá úd faoi lucht an bháid a bheith ar meisce. Ba mhinic roimhe sin agus ó shin a chuala sí na bádóirí ag rá go mba

mheasa go fada 'cuaifeach theaspaigh' ar na glaschuanta
ná feothan geimhridh dá ghártha. Ach fuaim bhinn bhinn
na sceiche ab úire a d'fhan i gcuimhne Neile. Thug sí a
droim leis an gciumhaiseog chúir bháin sin a d'fhág in
adhastar an anró le fiche bliain í . . .

Chuaigh sí isteach i ngach aon cheann de na trí sheomra
le talamh. Ba bheag nach dtagadh faitíos uirthi roimh áirge
an tí nua seo. 'Dá mbeadh foireann troscáin ann ní bheadh
sé chomh mór ná chomh folamh,' arsa Neile léi féin. B'fhac-
thas di go raibh gach aon seomra dá raibh ann chomh mór
leis an seanteach ar fad agus gan áireamh go raibh an sipín
mionearraí a chuir sí isteach, ag iarraidh cur i gceann a slí
tar éis bá a fir, de chúingeacht tuilleadh ar an seanteach
céanna. Ach ba leis na pingineacha a rinne sí a screamhair-
eacht as an teachín agus as an sipín sin a d'fhéad sí an teach
áirgiúil seo a dhéanamh dá haon duine clainne. Faoi cheann
coicíse eile bheadh an teach nua in arraíocht a dhul a chónaí
ann aici féin agus ag Sonaí. Bhí d'ádh airsean go bhfaigh-
eadh sé a dhul ag múineadh faoi cheann míosa eile i scoil
an pharóiste. Ní bheadh sclábhaíocht talún ná eallaigh ná
screamhaireacht na leathphingine sa siopa uirthi féin feasta.
B'éigean do Neile a theacht amach faoin aer . . . mar bhí
maoil ar a croí . . .

Tháinig sí anuas an strapa arís. Ar theacht amach an
mhaolbhearna di ar chúla an tseantí, chreathnaigh sí dá
buíochas féin. Mar scríob sí le géagáin chairithe na sceiche
gile a bhí fearacht is dá mbeadh sí ag iarraidh í féin a
bhaint as greamú na haille a raibh sí ag fás ina haghaidh,
le Neile a dhiúrnáil chuici . . . Ba gheall í an sceach le
neach mallaithe an tí nár lig an faitíos dá liacht líne a
tháinig drannadh léi, ainneoin í a bheith sa mbealach agus
ainneoin a mhinice is a bhí géarchruóg le húdar tine. Má

ba le lucht déanta an tí geata a chur leis an tsráid nua sa ngeadán sin, ní bheadh loiceadh ná scáth orthu faoi sheanfhoirgneach sceiche a ropadh as a lúdracha. Agus ní ise a bhacfadh iad faoi dhia a dóláis a chur de dhroim seoil . . . Níl aon uair le fiche bliain dár tháinig siollántacht ar bith sa sceach sin nár tháinig fuadach imní agus faitís faoina croí féin . . .

Shuigh Neile ar chéim na hiothlann os comhair dhoras an tseantí. Chuimil sí bosóg siar dá lúba fionna a raibh scáiniúcha breacliatha go greannta tríothu faoi seo. Scríob sí cúpla smáileog deannaigh den naprún glan 'seic' a bhí os cionn a gúna ceanneasna. Níor thúisce féileacán gáifeach ag diúrnadh a grua ná fothach coilgneach ag iarraidh solmar a bhaint as a cuid fola. Ar ghualainn an chnoic os a cionn bhí scalán gréine agus ré dhorcha ag síoriomlaoid agus ag cur malairt snua gach aon dá ala ar phreabáin bhreactha fataí, nó go snaidhmeadh gile agus scáile ina chéile thuas sna líonáin ag Cnoc Leitreach Maoile. Thall ar chriathrach mór Thóin an Chnoic bhí na rotháin teaspaigh ag fiuchadh fós, ainneoin go raibh sé tar éis a ceathair a chlog. Idir í agus léas san aer bhí púir dheannaigh agus d'fhéad sí brat cuileog a fheiceáil ag cruthú air i dteas broghach na gréine. Chaith Neile seal ag dearcadh rinní na ngaetha a bhí ag cur farasbarr loinnreach sna coinnle ar an bhfuinneog. Mar seo a shuíodh sí os cionn smaointeachais cothrom an trátha seo gach Domhnach. Inniu ní ar chosáin dhearga shaol na tamhnaí scaipthe a bhí a cuid smaointe mar a bhídís gach Domhnach eile, nó go dtagadh buachaill eicínt ag iarraidh bosca 'Players' Weights' nó cailín ag iarraidh luach pingine 'leacóg'. Bhraith Neile claochlú eicínt in aeraíl an lae ghil, ar nós mar bheadh gach rud dá raibh os a comhair dá strachailt isteach, dá leá agus dá athmhúnlú i scornóg na gréine, i riocht is go mba ré dhorcha é an scalán, go mba fothach é an féileacán agus go mba chuileoga géara goimhiúla an deannach dá bharr sin. Chuir sí strainc uirthi, agus í ar a siúl ionsaí suas go dtí an teach nua an athuair, faoi go mb'éigean di a theacht ar ais le freastal ar Mhaidhcín Pheadair Anna . . .

Sula ndeachaigh Neile ar chúla an 'chuntairín' leis an 'bPlayer Weight' a thabhairt do Mhaidhc, chuaigh sí siar sa seomra, bhain filltín as an éadach cláir, dhírigh ceann de na cupáin ar an sásar, tháinig aniar sa gcisteanach arís, dheasaigh bácús an cheaile ní ba ghaire don tine leath-mhúchta agus chuir sí splancacha an athuair ar phota na feola.

'Ní dheachaigh tú in éindigh le lucht na Gaeilge inniu, a Mhaidhcín?'

'Dheamhan é. Ba mhoch liom a bhí siad ag imeacht. Is ar a chruachúis dóibh caladh a dhéanamh ar an taoille seo má sheasann an lagar. Tornáil ghéar a bheas aníos uilig ann.'

'Níl aon amharc orthu fós, an bhfuil?'

'Bhí siad faoi Ghob na Corainne ar a theacht i leith barr an chnoic dom. Dar ndóigh, chuaigh Sonaí in éindigh leo?'

'An bheirt sin a bhí sa Trainin' College in éindigh leis, bhí siad ag an bhfuinneog ina choinne roimh lá agus d'ardaigh siad leo é.'

'D'éireodh dó. Déanfaidh geábh farraige maith dó thar éis a bheith sáite thuas i mBaile Átha Cliath le bliain. Is dóigh go dtiocfaidh sé in éindigh leo go Cruaich Phádraig an Domhnach seo chugainn arís.'

'B'fhéidir dó . . .'

'Tá siad ag teacht go ceochánta,' arsa Maidhcín ó ghiall an dorais. 'An gcloiseann tú an mileoidean atá acu?

Is ceart dóibh a bheith ar Mholán Chaitlín feasta.'

Ba bhearrán ar Neile a abartha is a bhí an buachaill, i dteannta go raibh sé ag cinnt uirthi an leathphingin sinseála a aimsiú idir an scipéidín agus póca a gúna ceanneasna. Leis an roilleadh allais a bhí uirthi agus le meirbheadas broghach na cisteanaí b'éigean di a dhá huillinn a leagan ar chorr istigh an 'chuntair' nó go raibh a cluas ionann is le gloine na fuinneoige bige.

'Shílfeá go bhfuil cuaifeacha amuigh . . . Sióga ag athrú,' arsa Maidhcín agus cáir fhiodmhagaidh air leis an deannach, na billeoga ruadhóite, cnámharlach dosacha na bliana anuraidh, agus na soip thuí ón iothlainn fholmhaithe a bhí dá suathadh trína chéile le fothramán roithleáin cháite ar an tsráid . . .

Shín Neile an leathphingin amach chuige. Thóg an t-éadach cláir agus na gréithí den bhord sa seomra. Chaith an ceaile i gcosamar na muc agus leag an fheoil isteach in íochtar an drisiúir. Ansin shiúil sí amach go réchúiseach arís go dtí céim na hiothlann. An chuaifeach dheannachtach a chruthaigh tamaillín ó shin amuigh i mbéal craosach an ghlaschuain agus a chuir é, ar feadh cupla nóiméad, dá únfairt féin go francaithe idir fonsaí sclamhacha an dá Ros, bhí sí anois dá traoitheadh féin i lúibinn na n-ardchnoc i bhfad suas. Bhí an fharraige tláthaithe anuas arís, cés moite go raibh roic dhuifin i gcoipeadh na toinne ar Mholán Chaitlín.

Den bhuíochas di féin lonnaigh súil Neile ar an teach mór folamh. Isteach léi go storrúil ansin i gcoinne na tua. Ó inniu amach ní bheadh aon bheann aici ar gheis na sceiche.

An Taoille Tuile

SHEARR Mairéad í féin agus rinne sí gabhlóg den mhéar fhada agus de mhac an daba leis na sramaí a chuimilt as a súile. D'airigh sí fuacht na deargmhaidine ina bunríocha. Ba shámhas léi loiceadh san obainn a thug sí ar éirí. Rinne í féin a chrapadh siar arís ar cholbha te na leapan a d'fhág Pádraig nóiméidín roimhe sin.

An mhí tar éis di a theacht abhaile, i dteannta na dtrí seachtaine ó phós sí, a bhain as a cleachtadh í. Chuimhnigh sí ar na deich mbliana sin i Nua-Eabhrac a mbíodh sí ar an urlár le céadghairm an chloig roimh fháinniú lae. Rinne sí é go foighdeach fadfhulangach gach uile mhíle maidin ar shon . . . ar shon an lae seo—an lá a mbeadh luí agus éirí ar a toiliúna féin.

'Ar éirigh sibh fós?' Glór criotánach a máthair chéile ón seomra thiar a tháinig chuici tríd an doras a d'fhág Pádraig oscailte ina dhiaidh.

'D'éirigh,' arsa Mairéad, agus chuimil srama eile as a súil.

'Dúirt siad,' arsa sise léi féin, 'nach mbeadh sé de shíor-aíocht i bPádraig fanacht liom go n-íocainn anonn paisin-éireachtaí mo thriúr deirfiúr. Dúradh ó ba bhior in aon tsúil é go ngéillfeadh sé dá mháthair agus go bpósfadh sé bean eicínt eile fadó . . . Dúradh is chomh hóg is bhí mé féin ag dul anonn go gcaithfinn as mo cheann é, go bpósfainn thall agus nach móide . . .'

'Éirigh, a Mhairéad. Beidh an Loideánach ag dul le buile . . . Ní fhanfaidh an trá le haon duine . . .'

35

An cantal a bhraith sí den chéad uair i nglór na seanmhná a bhíog Mairéad as a haisling. Ba é an ghairm scoile é go raibh an comhrac síoraí idir 'máthair mic agus a chéile' ar tí a thionscailte. Ar fháisceadh uirthi na mbalcaisí ba sholáimhsithe aici sa meathdhorchadas smaoinigh sí ar na luaidreáin a bhí ag gabháil thart go raibh an tseanbhean ag clamhsán faoina laghad spré is a thug sí don teach. Fanacht deich mbliana . . . Cur suas d'fhuíoll na bhfuíoll agus do dhuine uasal i Meiriceá . . . Rinne iall a bróige dhá leith sa dara súilín íochtair . . . Chuaigh síol faltanais faoina croí.

'Is fadó cheana nár éiríodh chomh moch sa teach seo! Tá an t-earrach ar ghort an bhaile faoi dheireadh. Scaird tae a dhéanfadh brín óg anois díom, a Mhairéad . . .'

Bhí tine bhreá thíos ag Pádraig, an citeal ina shrann fhiuchta agus é ag tabhairt máimín coirce don chapall a bhí srathraithe ag béal an dorais. Leis an ngealgháire a bhí ina ghlór agus an gean grá a mhaígh ar a cheannaghaidh ag lua a hainm, théaltaigh mosán Mhairéide ar an toirt. Is mór an acmhainn a bheadh aici ar anglántacht na seanmhná ar shon an mhéid seo. Focal aranta ní thiocfadh idir í agus Pádraig go brách, nó dá dtagadh bhí sí cinnte go mba uirthi féin a mhilleán . . .

Ní mó ná geal ceart a bhí sé ag fágáil an bhaile dóibh. Thíos ag béal Bhóithrín an Chladaigh bhí beirt iníon an Loideánaigh ina suí ar dhá chliabh a raibh a mbéal fúthu agus an Loideánach féin síos agus aníos ceann na duirlinge ag cnádadh a phíopa.

'Dar mo choinsias,' arsa seisean, idir shúgradh agus dáiríre 'shíl mé dheamhan sop feamainne a bhainfí ar an gCora inniu. Ní fhaca mé aon lánúin nuaphósta riamh ar mharaigh a ndeifir ag éirí iad.'

36

Tháinig meangadh gáire ar an mbeirt iníon agus lig
Mairéad a seanscairt.

'Tá píosa tráite aige,' a deir Pádraig go maolchluasach. *Tá sé ag*

'Píosa tráite aige! Agus é ionann is ina dhíthrá! Tá an *magadh*
rabharta ar an darna lá dá neart, agus mura dtapaímid é, *fúthaí go*
inniu agus amárach, ní thiocfaidh aon trá arís i mbliana a *indírfhe*
mbeidh sé in arraíocht scothacha domhaine na Cora a
bhaint!'

'Rabharta mór é,' a deir Mairéad go simplí. De bharr di
a dhul go Meiriceá chomh luath as tús a hóige ní raibh thar
smearthuiscint anois aici ar chuid de na cúrsaí baile a
raibh a n-ainmneacha i ndlúth agus in inneach a cuimhne.

'Rabharta mór,' arsa an Loideánach agus gotha easpaig
air a mbeifí tar éis diamhasla dalba a lua os a chomhair.
'Rabharta mór na Féile Bríde! Níl tú taithithe ar na
rabhartaí fós, a stór, agus ní hiad is cás leat.'

Chaoch sé an tsúil ar Mhairéad agus chrom amach a
cheann go dtugadh sí suntas do Phádraig a bhí amuigh
chun tosaigh, ag dul le fán na duirlinge agus cliabh Mhair-
éide i mbéal a chléibh féin thiar ar a dhroim.

Ba dhrogallach ó Mhairéad mórán cainte a dhéanamh
anois. Níor bheag di cuimhniú ar an gcion oibre a bhí
roimpi inniu.

Le seachtain anuas is é an rabharta a raibh de leathrann
ag an tseanlánúin, ach a dhath imní ní raibh ar Mhairéad a
dhul 'sa trá', nó go bhfuair sí í féin anois i mbéal na duirlinge.

Saolaíodh Mairéad agus tháinig in inmhe 'ar bhord an
chuain mhóir.' Bhain sí faochain agus scadáin ghainimh,
sleabhcán, creathnach agus carraigín cheana. An t-earrach
sula ndeachaigh sí 'anonn' bhí sí a chúnamh dá hathair ag
baint barr cladaigh. Ach d'imigh sí sula raibh sí déanta i
gceart ar sclábhaíocht an chladaigh. Níorbh fhada gur

roic níocháin, sciúrtha agus fulachta a bhí ina cuid lámh, i leaba leathar righin an fhátallaí farraige. Na deich mbliana sin a mbeadh an fharraige ag cur a goirteamais féin ina cuid fola agus a fobhairte féin ina cnámh chaith Mairéad iad gan an sáile a fheiceáil mórán thar dheich n-uaire.

Ach ar theacht ar bhinnsceird na farraige dóibh anois chuir an ghaoth ghoirt isteach den mheath mór meanma ina cuisle arís.

'Nach iomaí mo leithéid eile istigh sa bpobal,' arsa sise léi féin, 'a chaith fiche bliain i Meiriceá, agus atá chomh gafach leis an sclábhaíocht seo inniu is dá mbeidís gan an baile a fhágáil riamh. Céard í sclábhaíocht na farraige ach cuid den sclábhaíocht a gcaithfidh mé mé féin a thaithiú léi arís? Cé measa í ná sclábhaíocht an phortaigh, sclábhaíocht an ghoirt, sclábhaíocht beithíoch agus muc, sclábhaíocht iompair agus oiliúna má gheallann Dia clann dom.'

Ina dhiaidh sin agus uile b'fhearr le Mairéad mura mbeadh an roinn fheamainne sin ar an gCora le baint i bpáirt idir iad féin agus na Loideánaigh. An mbeadh Nóra agus Cáitín Loideáin ag magadh faoin 'aineolaí', agus an dtiocfadh cáil a ciotaíle abhaile chuig a máthair chéile? 'Nach maith gurb ar an gcéad lá in Éirinn a chaithfí a dhul ag baint na Cora i gcomhar! Faraor má tá ann ach mé féin agus Pádraig!'

Bhí fúithi a dícheall a dhéanamh i ngeall ar Phádraig, ach b'fheasach di gurb in é an dícheall fánach a ligfeadh seisean di a dhéanamh, ar fhaitíos go gcuirfeadh sí í féin thar a fulaingt le hainchleachtadh an tsaothair. Mura mbeadh i gcíléar na bó ach dhá fhata ba 'Dia aithnítear, do dhroim' ag Pádraig léi é. Ba mhó ab aite le Mairéad ar ala na huaire dá gcaitheadh sé an chúthaileacht i gcártaí agus fanacht go gcuirfeadh sé lámh inti. Bhí sí ag fáil an-tonnáiste go héag ó chruinnchlocha corracha na duirlinge a bhí ag brúscadh faoina cosa agus a dhá oiread bís sciorrtha orthu de réir mar d'fhéachadh sí le siúl tharstu go haigeanta.

'Is mór idir an áit seo agus sráideanna New York,' arsa an Loideánach, ag briseadh síos bun na duirlinge dóibh. 'Bhí agat bróga tairní a chur ort féin. B'fhearr an ceart a bhainfeá den chladach sna cosa boinn ná le na toy toys éadroma sin.'

'An chuid ba thúisce agam ar maidin,' a deir Mairéad, agus rinne gáire—in aghaidh a tola an iarraidh seo.

Ar lom na trá chuir an gaineamh briosc tacúil an oiread meanman ar Mhairéad is gur thug sí seársa beag go dtí baiscín cuachmaí agus faochan biorach a d'fhág an taoille thar oíche ar an trá. Chuir sí barr a bróige fúthu agus bhuail Pádraig aniar sa gcolpa leo. Ach níor fhan sé léi ina dhiaidh sin. Crácamas mór a fuair Mairéad, agus a bealach a dhéanamh sa log a dtugtaí 'an cosán' air, ó íochtar trá go híochtar láin, agus arbh é 'dea-ghealladh agus droch-chomhlíonadh' bliantúil gach líne dár tháinig de Loideánaigh agus de Chéideacha cosán capaill a dhéanamh de. Rinne Mairéad cuid mhaith den bhealach aistreánach seo le habhóga glanoscartha a thabhairt thar na locháin. Nuair a chastaí chuig carracáin achrannacha í shníomhadh sí í féin tharstu i ndiaidh a leataoibh le barróg a chur ar mhodhlaer cloiche. Níorbh fhearrde cíocha agus garbháin charraige a turas. Galabán bundún leice a choinnigh ar a cosa í uair. Uair eile chuaigh ríocht bheag faochan a bhí ar bhaithis leice ag clascairt síos sa lochán. Bhain gáirí geala na meithile macalla as scailpeacha agus áfacha an chladaigh fré chéile.

Ba í an Chora an chuid ab fhaide amach den chladach: scothach charraige a raibh ailpeanna agus sclamhanna snoite aisti ag síorídiú seanfharraige. Ní bhíodh an Chora leis amach agus amach aon uair; ach go mb'fhéidir a bhaint ar dhíthrá rabharta mhóir dá dtéadh duine i gcleithiúnas é féin a fhliuchadh. D'fháisc Pádraig beanna abhus a bháinín faoi thosach a bhríste agus chuaigh go dtí a chorróga sa gcuisle, ach shrian ar aís aris ó tharla go raibh sé 'á bhaint'.

'Is fearr dúinn tosaí ar an bhfeamainn dubh seo,' a deir an Loideánach, mar a bheadh sé ag ídiú na stuaice a bhí aige do na Céideacha ar ball ar an taoille righin trá anois. 'Nach in é an aimléis?'

'Ní fiú dúinn a dhul dár meath féin le fás bliana,' a deir Pádraig, ach ó bhí gach uile dhuine cromtha thosaigh sé féin. Ba charghas le Mairéad an sáile a fheiceáil ag sruthladh as a chuid éadaigh. Dhearc sí air, go mion agus go minic, i riocht is go gcuirfeadh a leagan súl i gcéill an trua a bhí ag a croí dó, ach a cheann níor thóg Pádraig. Thuig Mairéad ó bhí fátall an tsaothair le roinnt droimscoilte ar an dá theaghlach go raibh Pádraig ag iarraidh cion beirte a bhaint, ó tharla triúr de na Loideánaigh a bheith ann. Níorbh fhada go mba léir di gur duine in ómós trír é, arae ba chuma ann nó as í féin. Bhí sí ag sciorradh ar na leacacha bealaithe agus an fáisín carrach bliana chomh righin sin go raibh an forchraiceann sceanta dá cuid alt ag iarraidh cairt gharbh na gcloch a lomadh. Ba bheag an mhaith a liacht faobhar is a chuir sí ar an miodachín ach oiread. Ghearr sí a méar le fuinín den fheamainn. Dhearc sí ar an sruthladh fola ag titim ar an leac, leisce í a fhuasaoid, nó gur bhraith Cáitín Loideáin í agus gur chuir sí ceirt de 'chalico' a cabhlach uirthi, a bhog an sáile di arís gan mórán achair.

D'airigh sí fuairnimh ina méara agus thosaigh balscóidí dúghorma ag éirí timpeall na n-alt ar dhromanna a lámh. B'éigean di tosaí ag cuimilt droim leathláimhe de ladhar na láimhe eile. Ach ní raibh sé ina náire cheart uirthi go raibh uirthi a dhul 'ag slupáil'.

D'fhéach Pádraig i ndiaidh a leicinn uirthi cupla uair agus an cantal ina shúil, dar le Mairéad—cantal gur chuir an comhar faoi deara dise saothar a dhéanamh nach n-iarrfadh sé ar a aghaidh féin uirthi choíchin.

'Tá goimh na bhFaoillte sa maidin fós,' a deir Cáitín Loideáin. 'Is dóigh go n-airíonn tú an cladach aisteach.'

'Dheamhan mórán,' arsa Mairéad. 'Caithfidh duine theacht isteach air, creidim.'

'Is sraimlí an éadáil é,' a deir Nóra Loideáin. 'Dá mbeinnse i Meiriceá, a Thiarna, is fada go bhfágfainn é. Tiocfaidh mo phaisinéireacht an samhradh seo.'

'Tá caitheamh agus cáineadh agatsa i gcónaí ar an mbaile,' a deir Cáitín lena deirfiúr óg. 'Ach b'fhéidir go mba mhaith leat agat fós é.'

De ghlór seanórtha na mná tí a raibh teach, talamh agus trá Loideáin le fáil aici a labhair Cáitín. Ach b'fhacthas do Mhairéad go raibh goimh sa gcaint thar is mar ba chall di le cur ar shon an bhaile. Tháinig sé go dtí an béal ag Mairéad inseacht di faoin gceannaí siopa i mBrooklyn a bhí ag tóint phósta uirthi go dtí an lá ar fhág sí Meiriceá, ach choinnigh sí guaim uirthi féin ina dhiaidh sin. Údar magaidh a bheadh ann i dtithe cuartaíochta an bhaile an oíche sin. Ar tháinig sraoill ná slamóg as Meiriceá riamh nach raibh *millionaire* eicínt ag iarraidh í a phósadh thall?

Le dul go dtí íochtar a mbronn sa bhfarraige bhí sé in arraíocht ag na fir a dhul isteach ar an gCora faoi seo. Ach d'fhan na mná mar bhíodar go dtrádh sé tuilleadh sa gcuisle.

Ón gCora féin níor tháinig iamh ar an Loideánach ach ag fógairt isteach ar a chlann iníon 'na clocha a fheannadh' agus 'nach mbainfí arís go ceann dhá bhliain iad.' B'fheasach do Mhairéad go maith gur chuici féin a bhí sé ag ligean, ainneoin nach lonnaíodh a shúil beag ná mór uirthi. Faoi cheann scaithín theann na mná soir leis an gcuisle i mbéal na meath-thrá gainimh rua. Sheas Mairéad ag faire ar phortán a bhí ag guairdeall leis i lochán, nó go ndeachaigh sé isteach faoi sceabh cloiche. Ba é a seandícheall an chloch a bhaint, ach céard a thiocfadh amach uaithi ach iascáinín bricíneach a d'imigh óna crúba agus a chuaigh isteach i sáinn bheag idir dhá liagán. Thug croí Mhairéide preab. Smaoinigh sé ar an loscadh a bhí aici ina gasúr ar phortáin agus ar iascáin. Níor tháinig a hathair abhaile riamh as trá fheamainne gan cnuasach cladaigh eicínt a bheith aige. Murach chomh cruógach is bhí Pádraig d'iarrfadh sí air glac phortán agus iascán a chuibhriú di. Bhí an leac lena hais foirgthe le bairnigh. Ba chuimhneach léi go maith an rí-chorruair ar réitigh sí bairnigh agus cearca geala i Meiriceá mar sholmar beadaí. Ach trumpa gan teanga ní thabharfadh sí ar an réiteach sin le hais toit ón ngríosach. Tháinig dúil aici sna bairnigh. B'fhéidir freisin go mbainfidís an cantal den tseanbhean sa mbaile. Sháigh sí an mhiodach isteach faoi sceabh bairnigh a bhí bogtha roinnt den chloich. Ba charghas léi ar dtús a dhul idir é féin agus an leac. Gan bhuíochas di féin bhí sí ag smaoineamh ar a máthair chéile ag dul idir í féin agus Pádraig. Ach tháinig an bairneach léi chomh réidh is nár fhan scrupall uirthi ní ba mhó. 'Nach mairg gan ceaintín nó buicéad agam?' arsa Mairéad. Ansin chuimhnigh sé dá

gcrapadh sí an práiscín a bhí taobh amuigh dá gúna
Meiriceá agus é a cheangal taobh thiar go dtuillfeadh
foracan mór ann. D'fhéadfadh sí iad a chur sa gcliabh tar
éis na trá. 'I leaba a chéile tá grinneadas an chladaigh ag
teacht ionam,' arsa Mairéad léi féin.

'Ní fiú duit a bheith do do mhearú féin leis na bairnigh
sin, a Mhairéad,' a deir an Loideánach. 'Tá a dhá oiread
bia sa mbairneach barr cladaigh is atá i mbairneach mín
íochtar cladaigh, agus ar aon chor ní bhíonn an bairneach
ina mhaith go n-ólann sé trí dheoch d'uisce an Aibreáin.'

Ainneoin fírinne na cainte, thuig sí an leid nach ag
baint bairneach a tháinig sì ach ag baint feamainne.

Theann Mairéad soir tuilleadh abail an bheirt bhan.
Thaitnigh na murlocha beaga léi sa meath-thráin. Bhréag
dord fann na toinne i mbéal na cuisle a smaointe agus chuir
na bréidíní beaga sáile ag briseadh ar an tráin soineantacht
ar a hintinn, i riocht is gur luigh sí leis an obair. Níor airigh
sí chomh coscartha í ach oiread. Ainneoin gur míoránach
ba thréine ar an gcineáltas anseo b'uaibhrí an fás feamainne
duibhe ann ná thiar ar na clochair gharbha. Bhí sceadanna
barrchonlaigh tríthi agus dosáin bhogúracha feamainne buí
a bhí ina gciabhanna óir ag maidí gréine na maidine.
B'íogmhaire ó Mhairéad anois drannadh leis na dosáin sin
ná leis na bairnigh ar ball.

Bhí bundún ag borradh i nglór an Loideánaigh anois:

'Dar ndóigh, ní cheapann sibh, a mhná, gur in ann
míoránach a leá atá an tseanghráinseach de bharr garbh
siúd thuas agamsa! Beidh gach uile shop riamh di ina
cumraíocht féin sa talamh an fómhar seo chugainn. Ní mó
ná dá mbeinn ag cur dúrabhán íochtar an bhaile go n-iarr-
fainn bhur ngnaithe oraibh. Tá bhur ndóthain tanaíochain
sa taoille anois le teacht amach anseo.'

43

Amach le Cáitín Loideáin sna cosa boinn ar mholáinín faoin gCora. Bhain Nóra na bróga di féin agus chuaigh sí amach ar leac eile. Rinne Mairéad an cleas céanna lena bróga féin. Ar a dhul ag crapadh a gúna di loic sí uair nó dhó agus d'fhéach go haghaidhnáireach ar an Loideánach agus ar Phádraig. Ní raibh uirthi faoi ach cóitín scagach Meiriceánach. B'údar iontais léi i dtosach chomh beag de chaíúlacht is bhí an bheirt eile ag crapadh, nó gur chuimhnigh sí nár fhágadar an baile riamh. Chúb a cosa ó fhuacht an uisce agus ba gheall é a himeacht le siúl cait ag dul thar fhliuchán. Bhuail faitíos í go 'mbainfeadh' lonnadh na farraige í a bhí ag briseadh ina cuiltheoigín bhán ar an moláinín sa gcuisle. Bhí boinn a cos íogmhar ar an ngrinneal meathgharbh. Tháinig strainc uirthi, mar b'fhacthas di go raibh na Loideánaigh ag gáire fúithi. D'fhéach go tnúthánach amach ar Phádraig a raibh a dhroim léi agus é ag lomadh chomh tréan in Éirinn is a bhí sé ag fáil aon bhuntáiste ar bhéal na toinne. Oiread is a cheann a ardú ní dhearna sé . . .

Bhí sí anois ar lom na Cora i mbéal máithreach na coirrlí. Chuir na copóga uaibhreacha saint i Mairéad. Tháinig díocas sladta uirthi. Díocas na leacacha a chrinneadh go mbeidís chomh lom le pláta. Ba shámhas léi gíoscán na sraoilleach ag scaradh lena ngreim agus seabhrán an scuabáin ag titim i loganna na leice. Ainneoin fuachta agus amlua an tsáile d'airigh sí broid ina cuid fola—broid nach raibh inti cheana le deich mbliana . . . Tháinig sí go dtí bráid chineálta ar scáth droinne na Cora, áit a raibh clúmhnachán carraigín ar leiceann na gcloch. Nár mhinic a chuir an slam carraigín sin a thug Nóra Sheáin Liam go Meiriceá a hintinn ag preabadh go dtí 'bord an chuain mhóir', go dtí an cladach geanúil a raibh mian a croí! . . .

Smaoinigh sí ar a máthair chéile arís agus d'iontaigh uirthi ag piocadh an charraigín.

'Shílfeá,' arsa an Loideánach, agus fíriúlacht na farraige ina ghlór anois, 'gur dona atá sibh ag cruthachtáil, a mhná. Níl an storaic seo leathfheannta fós. Nach oraibh atá an drogall sibh féin a fhliuchadh! Ní dhearna an sáile dochar d'aon duine riamh.'

D'éirigh Mairéad as an gcarraigín, ainneoin nár chuir glór an Loideánaigh aon mhosán uirthi an iarraidh seo. Bhí muinín aici go raibh sí in ann a cion féin a dhéanamh anois, go raibh fobhairt na farraige ag dul ina craiceann agus fíor na sclábhaíochta ar feadh a cuisleann.

Bhí an Loideánach ag fógairt faoi uafás arís:

'Tá sé ag tuileadh. Féach Carraig an Mheacan ionann is folctha. Nach fearr do na mná a dhul ag tarraingt? Is fearr le dul iad anseo.'

Den chéad uair inniu d'ardaigh Pádraig a cheann agus d'fhéach idir an dá shúil ar Mhairéad. Thug sé obainn ar rud eicínt a rá ach dhaingnigh na liopaí arís sular tháinig an chaint. B'fhurasta aithint do Mhairéad go gcoiscfeadh sé an saothar sin di, dá bhféadfadh. Guaim chumasach an chomhair a cheansaigh an croí a bhí ag splancadh ina shúil ar an ala sin. Níor chall imni dó. Bhí faoi Mhairéad a thaispeáint dó más é gotha an tochrais bhoig a bhí uirthi go raibh an fíochán crua inti freisin. Ba dhá chuid maitheasa uirthi gur ar a shon seisean a bhí sí á cur féin go dtí an spriog.

As an gcuid ab fhaide amach a thosaíodar ag líonadh. Bheadh breith ar an gcuid isteach go mbeadh geábh maith tuilte aige.

B'íocshláinte do lámha a bhí deich mbliana faoi theas broghach cisteanaí cúinge, ramallae righin na feamainne greamú dóibh chúns a bhí sí ag brú an chléibh. Ní bhfuair sí mórán tolgáin sa gcéad chliabh, ainneoin chomh haistreánach is a bhí an bealach agus an sáile ag sruthladh as an bhfeamainn lena droim.

Chuir sí an oiread maolóige le ceachtar den bheirt Loideánach ar an dara cliabh. Murach scuabán den mhaológ seo a bhí ar forbhás ar fhiacail an chléibh agus a thit di, ag teacht amach ciumhais na Cora, ní móide go sciorrfadh Mairéad. Ach má sciorr níor treascraíodh í. Thapaigh sí cloch a bhí lena cúl agus choinnigh sí an oiread de ghreim ar an gcliabh is nár thit ach cupla scuabán den mhaoil. B'fhearr le Mairéad dá ndéanadh an bheirt Loideánach ar a n-aghaidh, thar is a gcuid cliabh a leagan ar chlocha agus a theacht ar ais arís ag cruinneáil na scuabán sin a chúnamh di. Ón tríú cliabh amach b'fhacthas do Mhairéad go raibh na Loideánaigh ag moilleadóireacht d'aon uaim le fanacht léi féin. Bhí an t-aistear sin ó íochtar láin go dtí ionlach na feamainne, naoi nó deich de shlata os cionn barr láin, ag dul chun síneadh le gach uile chliabh. Dar le Mairéad ba gheall é le dul ag taoscadh an láin mhara féin.

D'airigh sí an roilleadh allais ag maolú fuachta an tsáile i ngach uile mhíle ball dá corp. Thosaigh an iris ag tógáil léasracha ar a bosa agus an sáile á dó i nglúiníní a méar. Bhí a droim stromptha, agus maidir lena cosa—d'fhéadfadh sí na cosa a fhágáil as margadh ar fad! Ba gheall le cosa duine eicínt eile iad thar is cosa an duine a tháinig anuas an bóithrín go lúfar beo ar maidin. Faitíos a bhí uirthi gach uile phointe go n-iontódh sí orthu. Bhí na boinn éirithe glanoscartha dá bróga éadroma. Níl aon uair dá dtarlaíodh sí ar chloichín bhiorach nach gcrapfadh sí siar a troigh sa mbróg, nó go mbíodh ucht a coise ina cruit faoi na lascaí.

Ba gheall í le capall a mbeadh tairne i mbeo inti ag ardú a
coise d'fhaocha ghobaigh nó de shliogán bairnigh. Ina
aice sin bhí ocras céatach uirthi anois. Níor chaith sí
mórán ar maidin. Ba ghnás léi cupán tae cosnochta a
fháil ag a haon déag gach uile lá i gcaitheamh deich
mbliana. Ach níor dhada troscadh ar ghualainn na treas-
cairte agus an tsaothair nimhe neanta seo. I Meiriceá bhí
scíth nó malairt oibre tar éis dreasa. Ach an t-aistear céanna
ó íochtar go barr cladaigh arís, arís agus arís eile . . .

Bhí sé ag dul chun na huaire móire ar an Loideánach
bonn ar aon leis an tuileadh, agus níor fhéach sé leis an
ngoimh a mhaolú ina ghlór ní ba mhó:

'Is righin sibh, a mhná! Creidim go gcaithfimid féin an
scothach seo a fhágáil gan baint agus a dhul ag tarraingt.
Má bhímid in bhur gcleithiúnas sibhse beidh cuid dá bhfuil
bainte ag an taoille tuile!'

Ó thosaigh na fir ag tarraingt ba ghéire arís an choimh-
lint. Níor chuir aistreán an chladaigh a dhath mairge orthu.
Ní mó ná Cáitín Loideáin agus í cosnochta a bhí in ann
coinneáil bonn ar aon leo. B'iondúil go mbíodh Pádraig ag
folmhú a chléibh féin ar an ionlach san am a mbíodh an
chuid eile ag an snáth mara agus gan Mairéad thar chorr
thíos na trá.

Mothú ar bith ní raibh fanta ina cosa anois. Amanta
nuair a thagadh sí ar chorr na trá gainimh dhúnadh sí a
súile, ar feadh scaití, i riocht is nach mbeadh an scair
deiridh dá 'turas' go síoraí á gciapadh. Bhí sí bodhar ar
an bpian ar fad anois. Threabh sí léi fearacht is dá mbeadh
duine eile istigh inti dá saighdeadh. Má bhí sí stromptha as a
colainn níor thaise lena hintinn é. Is é ar tháinig di giotaí
beaga de smaointe bearnaithe: 'an comhar . . . Dá mbeadh
an fheamainn faoi Phádraig agus fúm féin . . . Caithfidh

duine é féin a thaithiú leis an sclábhaíocht . . . An taoille tuile . . .'

Mhaolaigh sí suas uchtóg na duirlinge an iarraidh seo agus gan é d'éitir ná de mhisneach inti a súile a oscailt mar is ceart. Níor airigh sí riamh go raibh sí sa snáth mara a bhí faoi shliogáin agus faochain, práibeanna de chosa ceanna slat, píosaí de chláir ghiúirinneacha, dlaoitheanna rocálaí agus cosamar feamainne deirge a tharla lán mara an rabharta aníos as an áit a raibh sí ag lobhadh ar mallmhuir. Ar chraobhóg bhealaithe den fheamainn dhearg a sciorr Mairéad. D'airigh sí na cosa ag imeacht uaithi go maith, ach scaoil sí leo. Ba shámhas léi iris an chléibh a ligean as greim . . . Líon Pádraig an cliabh agus thug go ceann scríbe é. Bhraith Mairéad faoilte an gháire i súile ban Loideáin, tar éis ar dhúradar faoi 'clocha cleasacha' agus 'aistear rófhada' . . . Teolaíocht Mheiriceá a fhágáil i ngeall air seo. Ach ní ag Pádraig a bhí neart air . . .

'Ní call duitse a dhul síos níos mó, a Mhairéad,' a deir an Loideánach. 'Baileoidh an triúr againne an chuid thiar amuigh d'aistear, agus ní tolgán ar bith de do chinnirse cléibhín a dhéanamh den chosamar thoir ag an gcuisle. A Phádraig, a fhleascaigh, déan deifir nó ní bheidh dosán fágtha ag an tuile.'

Ach bhí faoi Mhairéad a dhul síos anois. Nach maith nach n-iarrfaidís ar Nóra ná ar Cháitín Loideáin fanacht abhus? Ghabhfadh sí síos dá mba olc orthu é . . . Dá mbeadh 'an cosamar' sin taobh le dosán amháin dhéanfadh sí dhá leith den dosán! An leaba a thomhais sí di féin bhí fúithi codladh inti . . .

Ainneoin an choimhlint a bhí air bhí sí ag crinneadh Phádraig ag dul síos, agus ar shroichint íochtar láin dóibh níor mhó an saothar a bhí inti ná annsan. Ba roinnt sásamh

intinne uirthi go raibh Pádraig aici di féin den chéad
gheábh ó theacht chun an chladaigh dóibh. Chaith sí as a
ceann anois a cion féin den chosamar feamainne a chur
ina cliabh: ní raibh taoscán cléibh ann agus gach uile
thiomsachán a bheith cruinn.

Shílfeá, is chomh haranta is a bhí an taoille tuile ag
brúchtadh isteach anois, gurbh aiféala a bhuail í gur
imríodh uirthi ar maidin agus go raibh fúithi cúitiú go
binn anois as ucht nochtadh chor ar bith. Bhrúcht sí isteach
an chuisle ag líochán na moláiníní lena smut fuar, ag
smúracht sna háfacha lena sróin shrannánach, ag sméaracht
i bhfad suas ar an meath-thrá ghainimh rua lena ladhracha
fada santacha agus ag tabhairt farraíocha alpartha faoi na
slamanna feamainne nár cruinníodh fós. Cheana féin bhí
cupla glac téagrach tarlaithe léi aici agus cuireadh Pádraig
ar a ghlúine ag iarraidh carnáinín coirrlí a tharrtháil ar a
craos.

Bhí arann agus ampla na farraige ag réiteach go maith
le hintinn challóideach Mhairéide. Ba shuantraí dá croí
ciaptha ruathar an bhréidín mara ag stuineadh na míoránaí
ar na clocha agus ag briseadh go diomúch, ainneoin gan
an droinnín gainimh ar an meath-thrá a bheith díláithrithe
fós. Ach sula raibh taoscanna beaga scaite na céad toinne
súite ag an ngaineamh bhí neart na hatoinne ar fáil, leis
an droinnín a bhaint as a lúdracha faoi dheireadh agus faoi
dheoidh. Sheas Mairéad sa lochán fuar ar cholbha na
meath-thrá gur shruthlaigh an fhriotonn a bhain an
droinnín a cosa suas go glúine. Amach le luainneachán as
áfach ag sireoireacht ar ghuaillí gleannacha na toinne.
D'imigh faocha den charraig mar bheadh sé ina 'bhuailim
ort, tigim leat' aici féin agus ag an scaird fharraige a thug
áladh faoi na tiomsacháin dheireanacha den fheamainn.

Amach le Mairéad i mbéal na toinne go n-aimsíodh sí dosán—dosán loinneartha feamainne buí.

'Fág mo bhealach,' arsa Pádraig, agus chuaigh go dtí a leasracha le deireadh na creiche a sciobadh ón muir amplach. Dhírigh Mairéad, bhíog a hintinn ar an toirt leis an nglór sin. Glór borb coimhthíoch. Glór ó ríocht eile thar is ríocht na litreach éagaoineach, thar is ríocht an chumainn chluana, ríocht na ceannadhairte. Leis an díocas a bhuail í bhris an boilgín feamainne idir a méara agus chuir scuaidín bhodhar ruaime go dtí a grua.

An ré dhorcha a bhraith sí ar cheannaghaidh Phádraig ar an ala sin, bhí sí chomh doicheallach domheanmnach leis na riascanna dubha a bhí an beochan gaoithe a chur i moing cholgach na taoille tuile . . .

frustrachas áirithe

tá sí mar ainseach mór ní thig sí abair an ti?

*'o meiricá
s eolas }
+ airgid }* *conas a déiláil*
daoine mar daoine seo

*Tá Mairéid á cur ina háit féin - Níl
aon 'heirs + graces'*

Críonadh na Slaite

Cuimhním ar an oíche Dhomhnaigh sin chomh maith leis an oíche aréir. Áiléar áirgiúil an sciobóil fhada . . . An dréimire sníofa . . . An doras gan chomhla ag barr an dréimire. Na cláir ghíoscánacha, agus an poll ar chuir mé mo chos ann an chéad oíche in Éirinn dom ar an áiléar sin . . . Na pleainceanna le balla sínte ar ghruáin chloiche . . . An laimpín meata stáin fostaithe ar thairne . . . An-airde ó thalamh sa mbinn thiar. An meathdhorchadas ag an mbinn thoir san áit a raibh seala girseach scoile cruinn agus sioscadh an tsaoil mhóir acu, tráth a mbíodh ceol ná amhrán ar siúl . . . An bosca ceoil ag gleadhradh sa bhfíorchúinne . . . An suathadh a thagadh sa mbrú a bhí ag an doras agus duine eile a theacht de bhiseach orthu den dréimire . . . Muiníl á ndíriú, agus súile á bhfeannadh i ngeamhsholas an áiléir, go bhfeictí cé a tháinig go deireanach . . .

Ba láthair fholamh é an t-urlár mura mbeadh 'Pa an Phosta' a bheith ag damhsa le 'Gaeilgeoir' a bhaineadh mí amach i gcónaí, an tráth seo de bhliain, tigh Pheait. Ansin d'éirigh Bill na Máistreasa agus cailín na banaltra. Ba ghearr go raibh Sonaí Pheaidí agus 'Yank' Liam Mhóir ina ndís eile. Bhí mé féin chomh líofa chuig damhsa, an tráth sin, agus a bheadh meannán míosa chuig macnas. Ainneoin ligean agus téagar thar m'aois a bheith ionam, ní raibh mé ach seacht mbliana déag agus míonna corra, agus bhí cuid mhaith ansin arbh fheasach dóibh go mba bheag le leathbhliain roimhe sin ó bhí bríste glúnach orm. B'fheasach do

51

gach uile dhuine ann nach ndeachaigh rásúr le mo leiceann
fós! Agus stócach ar bith a bhfuil cuimhne úr air a bheith
ag caitheamh brístí glúnach agus nár thosaigh á bhearradh
féin fós, b'fhearr dó gan a bheith róthriollúsach ag fostú
mná le dhul amach ar dhamhsa nach bhfuil thar thrí dhís
as lán tí amuigh air.

Ba rud nua-aoiseach sa ruta tíre seo an 'one-step', agus
bhí an coimhthíos sin leis fós a bhíos ag aos tuaithe i gcónaí
leis an rud nua-aoiseach. Thairis sin féin, go dtí ríghairid
ó shin, níor thug aon duine sa bparóiste faoi deara dóibh
féin é a dhéanamh, cés moite den bhanaltra, an bheirt
mháistreasaí scoile, Meaig an tSiopa agus Nóra Mhór
Phádraig Neile a d'fhoghlaim é ó na 'Gaeilgeoirí'.

Ba dhíol bróid liom féin go raibh mé paiteanta ar an 'one-
step'—chomh paiteanta gach uile orlach leis an dream a
bhí ag bordáil timpeall an urláir anois. Bhí spleodar agus
díocas an tsoiscéalaí ionam, ainneoin nach ar fhírinne a
chraobhscaoileadh é, ach ar mo bhuanna agus ar mo
dhéantús gaisce féin a chur os comhair an tsaoil. Arae, bhí
mé ar bhruach a bheith i m'fhear, ainneoin nach raibh meas
fir ag an bpobal fós orm . . .

'Breá nach dtéann tú amach!' arsa mo chomrádaí,
Meaitín Pheadair, liom.

'Dheamhan a fhios agam,' arsa mise, ar nós chuma liom.
Bhí coimhthíos orm, arae, bhí mé íogmhar an tráth sin agus
ba bheag acmhainn grinn a bhí agam . . . Dá n-éiríodh
cupla cúpla eile . . . ach ní raibh siad ag corraí.

'An ndéanfaidh tú geábh den damhsa?' arsa Máirtín
Bhairtliméid le Máire Choilm, buille míchéatach, mar
dhóigh dhe, leis an ngoimh a bhaint as a chuid dánaíochta
féin. Bhí gotha ar Mháire nach n-éireodh sí mura mbeadh
leisce Máirtín a eiteach. Ba ghearr go bhfuair Máirtín an

fruisín atá in áirithe i gcónaí d'fhear briste an nóis. Thionscail miongháire thart le balla. Níorbh fhada go raibh sé ina dhranntán fonóideach agus ina ghreann gangaideach. 'Buachaill, a Mháirtín! Is maith an tornáil í . . . Coinnigh i súil na gaoithe í . . . Tá sé in am agat cúrsaí a chur isteach. Coinnigh Carraig Bhéal Trá fút pé ar bith céard a dhéanfas tú.'

Chaith Máirtín seal le bádóireacht, ach níor chuir na sáiteáin seo as cor é, ainneoin gur tháinig sé salach ar 'Pha an Phosta,' agus ar an 'nGaeilgeoir' cupla uair. Ach cén dochar? Bhí an nós briste aige. Caitheadh an coimhthíos agus an drogall i gcártaí, i riocht agus gur éirigh dís, agus dís, agus dís eile. Bhí a raibh in ann a dhéanta sa teach anois ag tornáil timpeall an urláir.

Bhí mé do mo bheophianadh anois go mbeinn féin amuigh chomh maith le duine. Ach b'fheasach mé nach raibh aon bhean ann a bhí in ann a dhéanta nach raibh fuadaithe cheana féin . . . Mná na dtamhnacha ar fad, bhíodar in aon dioscán amháin ag cúinne na binne. Cá bhfaighidís sin fios ar 'one-step' anuas ó thamhnacha sléibhe? Stócach ar bith a raibh meas fir aige air féin, an rud ba mheasa a d'fhéadfadh sé a dhéanamh aineolaí ar an damhsa a thabhairt amach. Smaoinigh mé ar na brístí glúnach, ar an mbearradh agus ar an ngreann gangaideach a bhí thart le balla ar ball beag . . .

'Seo í isteach Nóra Mhór Phádraig Neile,' arsa Meaitín Pheadair liom. 'Sin í an cailín atá in ann a dhéanta. Th'anam 'on diabhal thú, fáisc fúithi.'

Ag siodmhagadh fúm, sílim, a bhí Meaitín, arae ní raibh barúil ar bith aige go bhfaighinn ó mo chlaonta bualadh faoi Nóra Mhór . . . Ach fuair . . . arae bhí mé ar bhruach a bheith i m'fhear . . .

Chinn orm Nóra a fhostú de dhurta dharta, daile, arae bhí Liam na Tulaí ag comhlíonadh cúram amháin dá ilchúramaí ar ala na huaire—an seala girseach ar tháinig farasbarr siosctha dóibh ar táirm an damhsa a ruaigeadh abhaile.

'Chugat! Fágaigí an doras nóiméad, go ruaige mé an bhrotainn ghasúr seo abhaile . . . Ná síl go dtiocfaidh tú i bhfolach ormsa, a Neainín Thaidhg,' agus d'fhostaigh sé girseachín chatach, cheanndubh, gur loc sé isteach sa seala í idir chorp, chleite agus sciathán. 'A Nóra Mhór, ná lig Saeirín Johnny thart ansin! Is í an ceann feadhain orthu ar fad í . . . Ina gcodladh a bhí ag an ngrifisc ghasúr seo a bheith . . . B'fhéidir gur righin uaibh a theacht anseo, nuair a bheas sibh in inmhe . . .'

Ní mheasaim, anois ná an uair sin, go dtiocfadh Nóra Mhór ag damhsa liom mura mbeadh í bheith meata ag cúram Liam na Tulaí agus gur thapaigh mé í, i riocht agus nach bhfuair sí an t-ionú aon chronaí cheart a chur sa té a bhí á hiarraidh . . . Arae bhí sí ar an urlár agam sula raibh an dara hanáil faoi shásamh tarraingthe aici ar an áiléar.

Ní raibh an té sin sa teach sin, an oíche sin, nach mbeadh cluaisíní croí air as ucht Nóra Mhór a bheith ag damhsa leis, má ba é 'Pa an Phosta' féin é a raibh an 'Gaeilgeoir' ar stropa aige, nó Sonaí Pheadaí a bhí ina ghíománach i ndumha sheilge Forster agus a raibh ligean aige ar phlandóga gallda na cosmhuintire fré chéile. Ach mise a bhí ar bhruach a bheith i m'fhear . . . B'ait an daimhseoir í Nóra Mhór. An airde agus an téagar a bhí inti, agus feic ag siúl an bóthar í nó ar láthair fholamh an urláir, a thuill an forainm di. Ach ar an imeacht a bhí fúithi ag tornáil timpeall sa damhsa sin, ba gheall le geoladh smiorúil ceoil a colainn féin. Leatromadh dá laghad ní mhothófá inti, ní hé a fhearacht sin is mná eile ag damhsa é. Thugadh sí léi sa gcasadh timpeall mé chomh stáidiúil agus a thabharfadh gleoiteog a stiúir. Barróg na deasóige ar éigin agam ar a slinneán stuamhar. M'éadan i bhfoisceacht iongan dá gríosghrua ghartha agus gal bhruite an tsaothair a bhí inti ag goineachan i mo chuid fola. Aireachtáil agam ar a hucht corrachruinn ag borradh agus ag traoitheadh le cuisle an cheoil . . .

Ní gar dom a inseacht go raibh sí slachtmhar. B'fheasach dom cheana é sin ón gcéad oíche Dhomhnaigh ar tháinig mé ag damhsa ar an áiléar. Ach níor chinn Dia liom a bheith chomh dlúth seo riamh ina crioslaigh is go mbeinn in ann an slacht sin a mhothachtáil i dteannta é a thabhairt faoi deara. Dar liom féin ní raibh a ceannaghaidh fíor-dhathúil. Bhí sé róchaol agus róghéar don snua gartha a raibh léasáin chródhearga tríd ar airdíní a gruanna, fearacht is dá bhfágadh an líodóir an Mona Lisa ansin go maolscríobach gan an chéad bhrat den dearg a thláthú chor ar bith. Ach níorbh é a leagan éadain ach a leagan súl a d'fhág an scéimh faoi chomaoin di, agus a chuir smiorúlacht sa gceannaghaidh a chúitigh ar shon aon bhuille maolscríobach dá raibh ann. Thiocfadh don tsúil sin a bheith chomh tláth agus go mbréagfadh sí Cúchulainn ar a cholg céatach, nó thiocfadh di, ar an toirt arís, a bheith chomh doicheallach leis na lochanna mearbhaill sin a splancas íota an taistealaí ar lom an ghaineamhlaigh. Go hiondúil ba shúil uaibhreach dhúshlánach í a thugadh lena inseacht go raibh fios a bua agus a tréathra aici agus nár ghar a dhul ag comórtas léi. Ach buaileadh stuaic nó múisiam ar bith í, an tine chreasa a thagadh sa tsúil sin agus an loinnir barr dathúlachta a thagadh ina ceannaghaidh ba

leide duit iad ar dhreach Mheadhbha agus í ag breathnú
ar fhir Chonnacht á sladadh ina dtáinte i Maigh Mhuir-
theimhne i ngeall ar a daol danartha féin. Bhí scáil mar sin
ina súil ar ala na huaire . . . Bundún gur iarr mise ag
damhsaí agus gur tháinig sí liom sula raibh deis cheart
uirthi le m'eiteach . . . Bundún nár thuig mé cé hí féin . . .
Bundún nár thug mé ionú di an tsúil spéiriúil sin a bhiorú
ar an gcruinniú—ionú a chuirfeadh i gcéill go raibh sí
istigh—thar agus a dhul á fuadach isteach i gcoire guairdill
an damhsa, fearacht mar dhéanfaí le hagóid de bhean ar
bith eile dá raibh ann . . . Ba dhíol faitís an tsúil sin dom
mura mbeadh gur thláthaigh sí. Thláthaigh sí, arae
thosaigh an bhean seo ag cur cronaí ionam, rud nach
ndearna sí riamh cheana. Stócach ar bith nach raibh á
bhearradh féin fós, nach raibh na brístí glúnach thar
leathbhliain caite i leataobh aige agus a bhí ionann is leath
paróiste uaithi, ba dhiachta do Nóra—do Nóra Mhór
Phádraig Neile—cronaí a chur ann roimhe sin. Ach bím ar
tí a dhul ag tarrtháil plandóige den fhuil mhór ó ghionchraos
dragain nó bím ag fuascailt an tSoithigh Naofa ó chrobha
diamhaslacha na n-ainchreidmheach, ní fhéadfainn an
oiread dúthrachta is spleodair a chaitheamh le ceachtar
den dá shaothar sin is a chaith mé leis an 'one-step' i
meathsholas an áiléir. B'éigean do Nóra cronaí a chur i mo
chuid damhsa. Agus rud nach bhfuil a fhios agam fós riamh,
an le bród as mo chuid damhsa nó le corp trua do mo
dhúthracht a thosaigh sí ag breathnú idir an dá shúil orm;
gur mhaolaigh lasair nimhe neanta na rosc úd, nó go rabh-
adar ina dhá múnóg ghlasta dhrúchta ar rinn bileoige róis
a bheadh á leathadh féin amach faoi chéadscalán na gréine
óighe maidin shamhraidh . . . Ba mharfaí an rosc tláth sin
ná an rosc colgach . . . Bhí mé i ngrá le Nóra . . .

Cá bhfuil an té nach mbeadh? Bean dhathúil ar bith in aois a bliana agus fiche, is furasta di croíthe a shlad. Ach an aoileann seo! Ba bhean diongbhála Chúchulainn nó Aodha Rua Uí Dhónaill í. Arae níorbh áilleagán í Nóra. Níorbh é séimhe agus míne agus áilleacht bhreoite na raithní gallda a bhí inti, ach scéimh aranta uaibhreach an chaorthainn righin sléibhe arbh é a bhuac a bheith ar aghaidh na riteachta agus na doininne ar an bhforsceird. D'fhéadfadh sé gurbh eo í Fionnuala Nic Dhónaill, an Iníon Dubh, Emer, Meadhbh, nó Macha Mongrua féin . . . Bheadh Nóra ina banríon i gCruachain nó in Eamhain Macha tráth . . . Dúisíodh as m'aisling mé, le scoireadh an cheoil.

Sheas Nóra go sleamchúiseach ag giall an dorais, agus bhrúigh scata ógbhan ina timpeall ar nós an streoillín lena réalt eolais. B'fhurasta a aithne umhlacht agus géilleadh na bantrachta don intinn cheannasach. Agus ar an nós a soilsíonn an ghrian reanna easolasta neimhe a thagas ina líon, nó go síltear go soilsíonn siad uathu féin, is amhlaidh a tharraing caidreamh agus carthanas Nóra leis an bplód ógbhan gnaoi na bhfear orthu dá réir.

Bhí candáil uirthi uaidh sin amach. Ní raibh damhsa nach raibh fuadach uirthi. Ní raibh cúinne dá dtarraingíodh sí nach raibh bualadh air. Bhí na mná ag athléamh ar an gcaint a chaitheadh sí, gan fhios dóibh féin. Chuaigh na fir sa mbile buaic léi, le cliúsaíocht chainte agus leagan súl. Agus d'iompair Nóra í féin mar a thogair sí: géar greamannach leis seo, tláth fáilí leis siúd, ugach gan gealladh don fhear abhus, eiteach corónta don fhear thall. Ach níor lig sí dada le ceachtar de na fir a tháinig ina líon. Ghabh sí a gcuid saighead ar a craoiseach gan fuiliú ná imghoin di féin. Agus smíoch sí le huaibhreas na súl údan iad . . . nó go raibh fir ansin a throiscfeadh céad tráth, nó a thabharfadh

dúshlán tine, uisce agus ilfhaobhair, le grá don leagan súl
sin . . .

Ba litir i ndiaidh an éaga domsa a bheith ina diaidh. Ach
níor chuir mé an bheannacht agus céad fós léi. Níor chuir.
Bíonn céadracht an fhir chomh huaibhreach, arranta sin
agus go gcosnódh sé ina chadhan aonraic Áth na Foraire in
aghaidh fóirneart na Tána, nó go mbainfeadh sé tine
chreasa as cuaille comhraic an áibhirseora in éadan slua
na láimhe clé fré chéile, agus bíodh a fhios aige go raibh
gair ar bith aige a chúis a chur i gcrích. Céadracht an fhir
a bhí ormsa. Céadracht an fhir a thug dom í a iarraidh ag
damhsa. Agus tháinig sí liom! Agus bhí an oiread ugaigh
faighte agam uaithi agus a bhí ag aon fhear sa teach gus
nuige seo! Dá bhféadainn an oiread den chluain a chur ar
Nóra agus go ligfeadh sí dom í a thionlacan abhaile . . . í a
thionlacan abhaile, oíche amháin féin! Bheinn sna fir
dáiríre! Rachainn d'aon abhóg ghlanoscartha amháin—
cion abhóige a chaitheas mo chomhaoiseacha go hiondúil a
dhéanamh ag lámhacán—ó choimín crinnte an ghasúir go
cluain fhásaigh an fhir. Uaidh sin amach, bheadh muinín
doscúch an ghaiscígh agus breithiúnas agus éiseal an
tsaineolaí agam i mo chuid suirí, ní hionann is an glas-
stócach a bhíos lánghafach le bean soghluaiste ar bith an
chéad uair a dtosaíonn sé ag rathlaíocht. Ba dhíol bróid í
a thionlacan abhaile. Ba chuid aithrise é. Ba churamhír é
a dtiocfadh mo mhacasamhail agus mo chomhaois ar Áth
na Foraire agus go geataí Ifrinn ar a shon.

Is feasach dom anois nach é an grá ar fad a bhí do mo
splancadh an uair siúd. Fonn a bheith sna fir . . . fonn na
bua san áit ar chlis na táinte . . . fonn na caithréime . . .
fonn a bheith i mbéal an phobail . . . fonn go bhfaighfí blas
ar m'ainm thar lucht mo chomhainm agus mo chomh-

shloinne . . . fonn go mbeadh teanntás ar Pheadar Choilm Mháirtín ag daoine nach bhfaca riamh é agus nach raibh aithne ná eolas acu ar Cholm ná ar Mháirtín . . . A liachtaí duine a chuir an fonn sin cheana dá threoir . . .

B'fhada a chaith mé ag forcamhás go bhfaighinn ligean ar Nóra lena tabhairt ag damhsa arís. Sciob mé sa deireadh í agus an oíche ionann is caite thar droim. Tháinig sí sách spleodrach ar an 'one-step' seo, agus bhí sí cainteach go maith. B'fheasach dom is a fheabhas is a choinnigh mé bonn na seilge i gcaitheamh na hoíche, nach raibh sí i gcuingir fós anocht. Thosaigh mé ag baint fóideoga chuig an scéal luath go leor agus thug mé faoi mo chúis a chur i gcrích, mar dhóigh dhe is nach raibh mé á cur i gcrích chor ar bith. Ba dhoiligh spleáchas agus nathaíocht liom leat a chur go bun an angair le Nóra. Séanann dúthracht agus díocas agus dáiríreacht na hóige bladar binn bréagach agus spleáchas sleamhain na haoise, ach cúrsaí móra a bheith idir chamánaibh, impireacht a bheith le cur de dhroim seoil nó bean a bheith le bréagadh a bheadh ina banríon i gCruachain nó in Eamhain, tráth . . .

'Céard déarfá liom thú a thionlacan abhaile anocht, a Nóra, mura bhfuil aon duine—'

'Thusa . . .'

Lig sí amach d'aon iarraidh mé, agus tháinig scail chontúirteach sna súile spéiriúla.

'Is sónta an mhaise dhuit é . . . grabairín de ghasúr!'

Cuirtear ina háit féin.

2

Measaim nach rachainn chuig an gcéilí tigh Tom Learaí, beag ná mór, mura mbeadh go raibh Cóilín Mhaidhc ag strócántacht liom i gcaitheamh an tráthnóna. B'fhada liom tuairt trí mhíle bealaigh a thabhairt orm féin de shiúl mo

chos, arae bhí mé spadánta as mo chnámha tar éis a bheith
ag plé le feamainn dhearg ar feadh na seachtaine. Ba é mo
bhuac a dhul ag imirt chártaí, fearacht mar rinne mé gach
uile oíche Dhomhnaigh le mí roimhe sin, ó buaileadh suas
mo rothar. Agus, scéal cinnte, dá mbeadh breith ar m'aiféala
agam tar éis a bheith scaitheamh ag ceann scríbe is é a
dhéanfainn, freisin, arae ghoill neamhchleachtadh an tsiúil
agus meirbheadas mífholláin an tí orm. Níor mhór do
chisteanach an tí nua ceann slinne a raibh d'áirge agus
d'anáil aici, tharla aos óg an leathpharóiste abhus ar fad a
theacht, geall leis. D'éirigh áit suite liom féin in aice na
seanlánúine sa gclúid, agus gheobhainn an oiread toitíní is
a d'fhéadfainn a chaitheamh ó mhac Ruaidí Choilm a bhí
sa mbaile as Sasana le cupla lá; ach mar sin féin ní raibh
mé ar mo sháimhín só mar bhínn ag damhsaí eile. Mí a
bhí sé ó bhí mé ag céilí go deireanach, ach ba gheall mé i
ndiaidh na míosa sin le hOisín tar éis filleadh dó ó Thír na
hÓige, agus gan roimhe i leaba na Féinne ach daoine
coimhthíocha cuideáin. Níorbh uireasa aithne ná teanntáis
é, arae ba iad an mathshlua ceannann céanna a bhíodh fróm
gach oíche Dhomhnaigh ag damhsaí. Bhí gach uile réim
aoise d'aos óg an leathpharóiste anseo anocht, ó na gir-
seacha sheacht mblian gus nuige mé féin a bhí ag bordáil
ar dhá bhliain déag agus fiche. Ach ní raibh aon duine ann
dá mbíodh ar Áiléar Stiofáin agus mise i mo bhrín óg. An
chuid den scoth sin nach raibh pósta, nó i Meiriceá, ní
thaobhaídís aon chéilí anois. Mé féin is faide a bhí gan mo
sheolta a stríocadh. An dream ba mhó meanma agus ba
líofa ag damhsa anseo anocht, ba ar a chruachúis dóibh a
bheith tosaithe ag gabháil chun na scoile san am a raibh
Áiléar Stiofáin ina reacht seoil. Ach mise, bhí mé sa meá
chéanna i gcónaí! Dhamhsóinn port fós chomh haigeanta

is a rinne mé riamh ar Áiléar Stiofáin é . . . Ní dhamhsóinn
anocht, daile. Saobhnós éicint a bhí ag rodú sáimhe
m'intinne agus ag cur bádhún lice oighir idir mé féin agus
meanma an aosa óig seo—bádhún a raibh mo chuid
meanman féin ag reo air sula sroicheadh sí thairis anonn.

Tháinig saithe eile faoin doras, idir chailíní óga, cliobóga
agus girseacha scoile, agus mar a bheadh puisbhean amháin
nár aithin mé ag an mbrú.

'Cé hí an bhean mhór?' arsa scurach as Cora na
nGliomach le m'ais.

'A dhiabhail, ceadh nach n-aithníonn tú í? Sin í Nóra
Mhór Phádraig Neile as an mbaile seo againn,' arsa
Pádraig Bhaibín as an Tulaigh Bhric. 'Shíl mé dheamhan
a cos a thiocfadh trasna na troighe chuig aon 'time' arís go
deo. Níor thaobhaigh sí aon damhsa ar an mbaile seo aici
féin le trí nó ceathair de bhlianta. Ní mé cén mheanma a
bhuail í anocht agus a theacht i leith an fhad seo bealaigh.'

'Meanma fir! Mura bhfuil na fir ag dul go dtí í, caithfidh
sí a theacht chomh fada leo. Chuala mé go bhfuil sí fágtha
ar an trá thirim.'

Ach sin é ar thug mé de chluais don chabaireacht seo,
mar théaltaigh Nóra féin lena cóisir tríd an gcisteanach bhrúite
go dtí an chlúid thall. Bhí sé na cianta cheana ó leag mé
súil uirthi agus d'éirigh mo chroí ar an toirt, arae b'facthas
dom go raibh dual eicínt den tsine sin a shnaidhmigh mé le
hÁiléar Stiofáin agus laethanta thús m'óige gan roiseadh
fós. B'fhurasta a aithint Nóra a bheith cuideáin agus an
ghairm a bhí roimpi. Croitheadh lámha léi, rud nach
ndearnadh le haon duine dá raibh ina teannta, agus fuair
sí cathaoir istigh i gcúinne an tinteáin, thall in aice bhean
an tí. Shílfeá gurb é an chaoi a ndearna muintir an tí
dóigh dá mbarúil . . . nár tháinig Nóra mar tháinig an chuid

eile le dul ag damhsa agus ag barraíocht ádh na hoíche
. . . agus maidir le Nóra, nach raibh cúrsaí den tsórt sin i
gceist chor ar bith anois . . . go raibh a cuid damhsa ar
iarraidh . . . go raibh a hádh téaltaithe . . . go raibh fuireacht
taoille uirthi ar an trá thirim sin nach dtuilfeadh sé arís go
deo uirthi.

An chóisir ghearrchailí a bhí abail Nóra, ba ghairid
gur sciobadh ag damhsa iad, agus tar éis an damhsa shuigh
siad ar ghlúine na bhfear timpeall an tí. Mura raibh cupla
girseachín scoile ann, d'fhógair na mná eile dea-chomhar-
sanacht ar Nóra, ar nós mar bheadh neach na hóige ag
meabhrú dóibh go mba ghalar tógálach a bheith faoi ráta
agus go raibh ar eire acu é a choinneáil as a gcrioslaigh.
Níor fhan ina cionn ach beirt nó triúr buachaillí báire a
bhí ag baint grinn aisti d'aon cheird i ngeall nár tháinig
sé ar a ndeis féin fós teannadh isteach leis na cliobóga agus
leis na gearrchailí óga. Agus bhí greann agus acmhainn
grinn agus gáire ag Nóra, ainneoin gur thug mé faoi deara
go raibh sí san airdeall ar a teanga, níorbh ionann is an
uair a n-aithristí mar shoiscéal spruschaint ar bith a chaith-
eadh a béal . . .

'Breá nach n-iarrann tú Nóra Mhór amach ag damhsa?
Níor hiarradh fós anocht í,' a deir Cóilín Antaine le Pead-
airín Rua, agus é ag deargadh nuta beag as toitín Phead-
airín taobh thiar díom.

'Is fearr liomsa na ceanna óga . . . Siad is pointeáilte
dom . . . "Size fives" . . . Níor mhaith liom a dhul sna
puismhná riamh mura mbeadh braon sa stuaicín agam, ar
bhainis go díreach . . . Tá sí buille trom sa timpeall . . .
Caithfidh mise, a mhic ó, a dhul ag déanamh bóthair ar
Chriathrach Leitir Bhig amárach.'

'Seo, tabhair amach Neainín Thaidhg ar "half-set" agus

tabharfaidh mise amach Saeirín Johnny,' arsa Cóilín.

'Ní móide go mbeidís sásta,' a deir Peadairín, leath-stuacach i gcosúlacht. 'Dheamhan thiomanta damhsa dá raibh ann ó tháinig oíche nach bhfuil an cúpla sin amuigh air. Ach ní fhéadfaidh siad a dhéanamh ach muid a eiteachtáil ar aon nós.'

D'éirigh na buachaillí báire a bhí abail Nóra, freisin, ach ní hí a d'éiligh ceachtar acu a thabhairt ag damhsa. Dar mo choinsias, d'iarrfainn féin í! Ar dhéanamh dom anonn uirthi bhuail sí a ceann fúithi, chrap sí isteach agus tharraing sí cleite comhrá anuas chuig bean an tí arís. Ní raibh súil ar bith aici leis seo agus d'aithin mé ar an luisne dhriopásach a las ina ceannaghaidh nach mó ná go maith a chreid sí gur iarradh chor ar bith í. Ach tháinig sí gan aon sáraíocht mar sin féin. 'Full set' a bhí ann, agus chúns a bhí na comláin uile ag teacht amach, á gcur féin faoi réir, agus ag fanacht go gcastaí ceol, sheas Nóra aisti féin ar chiumhais na ndamhsoirí agus thug súil fúithi agus thairsti ar fud an tí. Níor mhíchéataí rítharbh na tána, ag fáil na tána i gcoimhthíos leis agus ag cur suas dá urláimh tar éis a imirce uabhair, níor mhóiréisí taise Alastair Mhóir ar láithreacha a chaithréime ná seasamh Nóra i gceartlár an tí sin. Bhain sí sníomh storrúil as na guaillí; thug slíocadh driopásach siar don fhionnfholt carnaithe; theann a liopaí go beophianta; agus dar liom féin go raibh na smaointe ag strócántacht ag bruacha a béil go gcuirtí i leagan focal iad. Ach an rud nár dhúirt a béal dúirt na goití é, agus go háirid an silleadh súl santach sin a thug sí ar an mbantracht. Ar feadh ala an chloig ba léir dom an loinnir dhúshlánach a chonaic mé ar Áiléar Stiofáin cúig bliana déag roimhe sin:

'Bhuel, a mhná óga, cé air a bhfuil sibh ag breathnú? Bhuel, a Neainín Thaidhg, agus a Saeirín Johnny, cén chiall an scéin? Is mé an sméar mhullaigh fós, tar éis cúig bliana déag a bheith agam oraibh . . . "Giolla mé ina gcuirtí suim: Oisín mé tar éis na bhFiann" '

Mura mbeadh nach bhfaca mé leis an tsíoraíocht go dtí anocht í, agus mura mbeadh m'aithne uirthi cúig bliana déag roimhe seo, ní chreidfinn choichín di go raibh na deich mbliana fichead sáraithe aici fós. Má ba é a seasamh storrúil agus a piolóid ar ala na huaire a rinne di é, nó nárbh é, bhí a colainn chomh seang snoite agus a géaga chomh deilfe dea-chumtha agus a folt ní ba charnaithe arís ná a bhí sa reacht ab fhearr dá saol. Agus bhí scalán de sheanloinnir na caithréime ina ceannaghaidh fós . . .

Ach de réir mar bhí an damhsa ag maolú a hanbhá, b'fhollasach dom nárbh í an t-athMheadhbh ná an t-ath-Mhacha í . . . Ní bheadh an bean seo ina banríon i gCruachain ná in Eamhain . . . arae bhí an sotal spéiriúil sciúrtha as a súile go héag. Bhraith me corr-ribe liath sa bhfolt bachallach. Ní raibh a leagan éadain róchaol ná róghéar anois, arae bhí deirgeadas gartha a snua séalaithe go raibh sé 'ina bhainne bán' agus b'fhearrde a dathúlacht dá réir é. Má bhí a ceannaghaidh ní ba cháidhe cheansaithe agus ní ba chosúla leis an bhfíor-Mhona Lisa faoi seo, ba é ciapadh cráite an uabhair a d'fhág amhlaidh é.

Agus bhí an ceansú céanna sa bhfuadach fíriúil a bhíodh roimhe seo ina colainn. Ainneoin di a bheith incurtha síos fós ag damhsa poirt le haon ógbhean dá raibh ansin, b'fhurasta a aithint uirthi go raibh spleodar saobhnósach na hóige téaltaithe, agus troime thámáilte na haoise ar fáil.

Ach níor thuig mé go raibh sí ceansaithe ceart gur thosaíomar ag seanchas i réidhe an achair a fuair muid mar 'sides'. Ar thionscailt na cainte dúinn b'facthas dom go raibh fuíoll den seansotal neamhspleách ina glór fós, mar a bhí an oíche ar thug sí 'grabaire' orm cúig bliana déag ó shin.

Ach teanntás a rinne anois di é . . . Ní raibh fear a hiarrata sa teach ach mé féin. Mise amháin ar a raibh cruinn a chonaic Nóra ag tuilleamh caithréim banríona. Thuig Nóra sin freisin agus níor fhéach sí leis an sotal a sheadú. Bhí seanfhaghairt údarásach a glóir maolaithe amach agus amach. Bhraith mé anois féin beophiantacht phriaclach na haoise ag goineachan sa nglór sin . . . Ní raibh an t-uabhar caite aici gan scannal an bhuartha.

An bhean seo a raibh an grá aici ar bharra a méar tráth, agus a n-imreodh scail a dhá súil an chluain mhaoineach ar chroí da dhúshlánaí, bhí sí ar an dé deiridh; agus mura raibh ádh cearrbhaigh uirthi rachadh sí sa ngearradh dhíobh. Bhí a coinneal caite. Ag caitheamh an orlaigh a tháinig sí anseo anocht agus ní bhfaigheadh sí an té a bhainfeadh gaisneas na haon oíche aisti!

'Is diabhlaí an chois atá ar an bport ag Nóra Mhór, fós,' a deir mac Phádraig na Tamhnaí le gearrchaile a bhí ina suí ar a ghlúine.

Ach má bhí féin, ní bhfaigheadh sí an té a d'iarrfadh ag damhsa arís í. Santaíodh an óige aerach aranta, an óige dhainséarach arb é a buac a bheith i gcois dá leith ar neamh agus ar ifreann in éindigh. Coinnle soloiscthe neamhbhearnaithe a theastaigh anseo agus ní hé orlach ídithe an smáil, arae tá an tuiscint sin i gcolainn na hóige a gcaitheann fáidhí na haoise a ndúthracht ag déanamh fealsúnachta faoi . . . Cuirimis gach uile chraiceann dínn inniu, an fhad is atá an díocas sa gcolainn agus an fonn san intinn. Amárach ní bheidh ionainn idir cholainn agus intinn ach glae ghlas an orlaigh mheata.

Ba ghearr an seadú a rinne Nóra. Girseachín lena

comharsa, Seán Mheait, a chuaigh abhaile léi, arae bhí a raibh eile ina cóisir ag damhsa agus ní raibh fúthusan imeacht go scoireadh an céilí amach san oíche . . .

Agus d'imigh rása de mo shaol féin fré Nóra. D'fhág sí i mo sheasamh mé ag cóngar an dá bhóthar—ag cumar na hóige agus na haoise. Mar níl breacaois, bunaois, meánaois, ná aois leanbaí ann. Níl ann ach an geal agus an dubh, an gol agus an gáire, an samhradh agus an geimhreadh, an óige agus an aois, arann uaibhreach na sláinte, borradh imirce an mhic dhrabhlásaigh, an port meargánta a chuireas an fhuil ag coipeadh, an gáire geal i gcraos uaiféalta na contúirte: nó an chiall cheansaithe bhasctha, grua ghruamánta an fhealsaimh, an galar, an slabhcadh agus na taiséadaí . . .

D'éirigh mé. Bhí mo chuid céilíocha ar iarraidh . . . Rá is go dtabharfaidh duine 'an mhaith atá' ar 'an mhaith a bhí', pósadh sé, téadh sé ag déanamh a anama, nó scríobhadh sé scéal . . .

An t-aicearra a thug mé orm féin ag briseadh amach ar bhóthar an rí. Rug mé ar Nóra ag ceann bhóithrín na Tamhnaí.

B'fhurasta a tionlacan abhaile anocht . . .

66

An tAonú Fleasc Déag

AS AT féin arís ag rámhaillí mar is minice leat. Dá gcuimhnínn air seo in am d'fhanfainn mar a raibh mé. Ach, ó tháinig mé ar do chuireadh, ní miste dom d'fhéile a thapú . . . Baineann do cheannaghaidh lionndubhasach, do shúil shlabhctha, do ghlór anóiteach an loinnir as an bhfíon.

—Seachnaím é, mar fhíon, ó tharla an rud . . . aduain sin.

—Seo. Striog champagne. Is é caras Críost an drabhláis é. Ceirín an lionnduibh. Anamchara an choinsiais chiontaigh.

—Céard sin ort? Glédheoch na Fraince a bhfuil diagacht na hithreach inti. *Les splendeurs des soleils dorés.* Brod na gaisce. Ortha rúin an ghrá. Maighdean choimhdeachta na filíochta. Briocht teanga an scéalaí . . . Ba dhiamhasla dom roimhe seo do chúnamh a éileamh ag aithris mionbhiadáin agus 'ceanna maithe' agus na ngrinnscéilíní leibideach sin a bhíos chomh caite á síorinseacht is a bheadh boinn airgid le neart láimhseála . . . Ní chreideann tú gur toiriall tairiall atá mé a fheannadh anuas de mo chneas féin, agus an feannadh sin ina splíontaíocht chomh mór orm agus dá mba dhiabhail dhearga a bheadh do mo bhlaoscrúscadh. Dar leat níl mé dáiríre.

—Is olc an earra an iomarca den dáiríre. Céard a gheobhas tú ar a shon? An chrois, na clocha, an chroch, an duibheagán—nó oidhe níos measa ná ceachtar díobh sin uile—dearmad gan aird a dhéanamh ort. Ach leagfaidh mise ar do bhuidéal a fhad is a bhéas tusa ag rámhaillí.

—Tháinig mé anuas mar ab iondúil liom ón oifig ag a

cúig a chlog, agus chuaigh mé anonn go dtí stad mo bhus. Ní raibh giolla na nuachta le feiceáil. Bhuail mé anonn trasna na sráide go tigh Evelyn go gceannaínn páipéar a sciúrfadh as m'intinn, dá mb'fhéidir sin, cúis Nualláin v. Nualláin ar chaith mé an lá á scríobh. Chonaic tú fúithi sna páipéir nuachta. Glacaim pardún agat. Ní léann tú na páipéir. Léanscrios air, sin páirt den bheith dhalba dhaonna atá orainne go gcaithimid páipéir a léamh lenár gcoinneáil i bhfostú de na rothaí síorluaileacha sin a chuibhríos muid i gciorcal atá ag cúngú faoi fhurú, d'fhaitíos go bhfuadódh siotaí an chroí muid sa líne shearrtha dhochuimsithe . . . Bhreathnaigh mé ar feadh scaithín ar irisí nár cheannaigh mé aon cheann díobh leis an tsíoraíocht, arae bhí uain ag ceathrar nó cúigear orm ag an gcuntar. Ní raibh aon chipín agam le toitín a dheargadh, agus chuimhnigh mé ansin go raibh mo chuid tobac ionann is sportha freisin. A dhath clóice níl orm cuimhniú ar gach is ar tharla an tráthnóna sin ach an oiread is dá mba mé 'an máistir' san oifig, agus é ag léarscrúdú cúrsaí cúise Bhean Uí Nualláin. Chuaigh mé síos tigh Arrachtáin—is ann a cheannaím mo chuid tobac i gcónaí—agus ar a theacht aníos dom bhí ainleog san iomluail. Bualadh mór daoine ann. Ceathair nó cúig de bhusanna in ascar agus mo cheann féin tar éis seasamh ag an stad. Thornáil liom trasna trí chlagfharraige an iomluail go dtapaínn mo bhus, agus cuimhním go barainneach . . .

—Seo. Ól streancán. Siúd ort. Díol rí de dheoch é.

—Mo thrua faoi naoi nach ambrosia é agus níor mhór liom duit a aon searc, a aon fhoinse mo bheatha . . . Ach ní raibh agat an corn a líonadh dom. I leaba dó brín óg a dhéanamh díom is annamh anois nach corrmhéiniúlacht chiapach a bhuaileas mé dá bharr. Mothaím mo cholainn róspadta don scail a chuireas sé inti. Feictear dom dá

68

síním mo lámh uaim go sciochfainn mám réaltóg den
spéir; nó dá gcuirinn séideog faoin luaith chaillte sin ansin,
go gcruthódh sí ina trilseáin filíochta. An uair a théas
anáil an fhíona sin fúm, ní bhíonn rud ar bith dodhéanta
agam ach an t-aon rud amháin atá mé ag iarraidh a
dhéanamh—an tóir . . .

—Ar chlár na spride a bhíos mo thaithí féin cé is moite
de na cuarta a dtuirlingím chuig do chlársa. Ach níl slacht
ar bith agam ar chaint ar sraith. Cuireann do leithéidse, a
bhfuil do scríobadh chomh mór sin le seanchré Ádhaimh,
iontas orm. Breá nach mbaineann tú an meas substaintiúil
atá le d'ais ar an gcraobh i leaba a bheith ag tnúthán leis
an meas sceirdiúil atá ar strapaí na mbeann. An deannach
airgid a sméideas ort chomh cluanach sin as Bealach na
Bó Finne, níl ann ach gríosach reann a mhúchfas ar fad
uair ar bith. Mo chomhairle duit arís eile barróg a chur ar
an gcré—ar an gcré thadhaill bhog sholáimhsithe, a bhfuil
do nádúr, do chlú, do rath agus do shéan i dtaisce inti. Tá
rún an toraidh chéataigh shubstaintiúil aici duit—do bhia,
do dheoch, do bhansólás, do chuid óir, do chuid neamh-
spleáchais, ach a saothrú as dúthracht. Cuirim aithne ort
Gairdín na nEasparaídí a fhágáil faoin dream a bhfuil sé
de gheis bhroinne orthu—rud nach bhfuil ortsa—bara na
glóire a bheith fúthu agus a sciathán a bheith spréite ar an
ngealstoirm. Iomramh docúlach é. Áit fheidheartha. Agus
gan ag ceann scríbe ach úlla na hoidhe.

—Cén neart atá agam air? Ach a gcluine tú mo scéal,
b'fhéidir . . . Ag an aonú fleasc déag den fhleascshíog sin
atá ag trasnú na sráide a bhíos. Is minic minic ó shin a
chuaigh mé trasna sa ngeadán ceannann céanna agus ar
sheas mé ag an bhfleasc chéanna. Dhéanainn a dhó nó a
thrí de chuarta gach uile thráthnóna é, cothrom an ama

chéanna, nó gur bhraith na póilíos mé. Anonn agus anall trasna na sráide de shíor a bhím, agus mé ag scríobh cúis Nualláin v. Nualláin, Athghairm na Cúirte Uachtaraí. Ní taise liom i mo shuan é. Ball de mo bhalla an fhleasc sin. Is céadfa de mo chéadfaí í faoi seo.

—Gailleog eile. Anois, b'fhéidir; tá tú ag caint. Coinnigh barróg dhocht ar leacacha na sráide. An fhad is a dhiúlfas tú cíoch do chrébhanaltra ní dhallfaidh loinnir na réalt thú.

—Bhí péire de na busanna 12 agus 17 ag bogadh leo agus an brú daoine ag scáineadh. Sin é an uair a tharla sé. Tá sé chomh follasach os comhair mo dhá shúil fós agus atá ceannteideal pháipéar oifigiúil an ghnólachta. Bus a 19 ar hob gluaiseachta. Mo bhus féin gan cor as fós. Ag an aonú fleasc déag. Fóidín mo léin . . . nó mo shéin. Páirt de chleis áirge agus aimsire do mo chastáilse ar mo their. Tionnúr codlata ag bualadh m'aingil choimhdeachta agus aircín áibhirseora ag tapú na deise. Mo lámh ag tarlú as sméaracht gan chrích gan chuspa ar thuirne na cinniúna ar feadh ala an chloig . . . agus é ag fágáil tnútháin doshásaithe inti le mo mharthain arís. Sheas mé ansiúd i mo ghamal ag an aonú fleasc déag. Bhí sise ag breathnú i ndiaidh a leataoibh mar bheadh rún fillte aici, nó gur bheag nach raibh uimhir a 19 imithe agus go bhfaca mé cruinníocha a stoca i log a hioscaide ar a dhul de léim di ar thairseach an bhus. Féachaint eile ina diaidh ó bharr an staighre agus ansin chas an bus an coirnéal. Scuabadh uaim í isteach san anaitheantas bhéal dorais sin a gcaithimid fad saoil go héadairbheach ag tóraíocht a chomhla ceilte agus í os ár gcomhair. Moghéanar rúndiamhra an aitheantais agus na tíriúlachta!

Ach ná bíodh mearbhall ort. Níorbh í scéimh na mná a chuir dallach dubh orm. Déanta na fírinne ba bheag an chuid suntais í ar an gcaoi sin thar na céadta a fheictear ar shráideanna Bhaile Átha Cliath gach lá. Bean shuite dhéanta. Folt dubh. Naoi mbliana fichead—bliain faoi nó os a chionn, cé miste. Claonadh raimhre inti. Gorúna geantáilte. Ceathrúna storrúla, buille fánánach. Colpaí teanna daingne agus gan íochtar a gúna ach ag breith síos thar a hioscaid ar éigin. Guaillí lána. Clár éadain, mailí agus súile múscaí. Leicne agus gruanna bláthbhuí ar shnua na créafóige uaibhrí de bheagán. Hata cnó capaill gróigthe buille réiciúil ar a mullach dronnach. Cóta glébhuí agus riasc dhearg tríd gan a bheith scanraithe. Gúna gorm—gorm na stopóige a thugas smearléargas dúinn ar lusra dorcha an ghrinnill faoi ghealghréin. Imeacht storrúil phríbhléiseach. Giodam an tslaicht fhearga. Goití dúshlánacha a phoiblíos nach í earra mhaoth mhalairteach, áilleacht an bhoiscín taispeántais, atá ag siúl léi ach fíor an bhuaineadais, na caismirte, na torthúlachta . . .

—Beannacht Dé duit. Má tá tú chomh grinn agus atá do ligean amach feicfidh tú cúigear acu ar leathbhord gach uile lá idir d'oifig agus an lia.

—Tá tú ag dul amú. Níorbh ea. Ach ní hin é an buille.

—Agus céard é?

—Rud nach feasach mé féin . . . Bhí mé—tá mé—á lorg i ngeall air gurb í cumhal an triaith í—

—Seafóid. Saochan céille, a dhuine . . . Ní fear ban thú. Níorbh ea ar aon nós le fada.

—Tá an ceart agat—lomlán an chirt. Ach an chuid is fearr den scéal fós . . .

—Is túisce liomsa deoch ar aon nós.

—An chuid is fearr den scéal nach gcuirfinn aon chronaí inti thar dhuine ar bith de na scórtha ban a bhíos síos suas, anonn agus anall, trasna na sráide mura mbeadh gur

71

bhuail sí bleid theanntásach orm: 'Hello, John Doyle.'

—Simplí go leor, a Watson chroí. Iomrall aithne. Tarlaíonn sé céad uair sa lá sna cathracha móra. Beagán daille uirthi ó bhroinn. Cosúlacht rímhór ann. An ceann-aghaidh céanna, an tsrón chéanna . . .

—As ucht Dé ort . . .

—A hintinn priaclach faoi rud eicínt le tamall roimhe sin; go gcastar ort i mbéal an tseoil í agus go síleann sí ar feadh scaithín gur fear aitheantais thú—fear a dtiocfadh di a bheith ag smaoineamh air go gairid roimhe sin. Braoinín ar bord aici, b'fhéidir. John Doyle á chastáil uirthi go minic timpeall na háite sin taca an ama sin de lá. John Doyle ag . . .

—Cé hé John Doyle?

—Cá bhfios dom? Tá na céadta acu i mBaile Átha Cliath, i gCill Mhantáin, i . . .

—Sin é é. Ní dheachaigh mise ó aithne ar aon duine ó rugadh mé ach an oiread is a rachadh litir ón ngnólacht ó aithne ar dhuine ar bith riamh a fuair ceann díobh. Is mé Lar Murphy ó rugadh mé; agus measaim go raibh sé socraithe i bhfad sular rugadh mé go mba é an ticéad neamhgháifeach sin a sheolfadh mé ó stad na pluideoige go stad na scaoilteoige. Tá mo cholainn, mo cheannaghaidh, mo cháilíocht chomh neamhshuntasach céanna leis an toradh tíorthúil sin a leasainmnítear muid as. Larry Murphy ag mo mháthair agus ag mo sheanchomharsana agus ag mo chuid múinteoirí. Lar Murphy ag Peadar Ciosóg, mo shean— m'aonchara—go ndéana Dia na grásta air. Mr. Murphy ag mná tí, cé is moite den uair tar éis fógra imeachta a thabhairt dóibh. Murphy ag mo chomhchléirigh. Murphy ag an máistir, ach amháin go scríobhann sé Mr. Laurence Murphy ar a chuid foirmeacha. Lar, Larreen, Larry,

Laurence Murphy. Ní raibh mé riamh in mo John, Jack, Johnny, Johneen, Shawneen, ní áirím a bheith i mo Doyle. Dar a shon go mbeinn.

—Agus sin é do scéal . . . Thú ag moilliú ó do chuid tae gach uile thráthnóna agus ag rámhaillí ar feadh na hoíche faoi rá is gur thug bean as mearbhall John Doyle ort . . . ainm ar lú díol cronaí é ná d'ainm féin. Tá na cluasa lioctha orm ag éisteacht leis an scéal sin . . . Scéal agus a thóin leis . . . Seafóid.

—Ach sin é an áit a bhfuil tú ag dul amú. Ach a gcloise tú an scéal . . .

—D'fhan mé i mo sheasamh ansin ag an aonú fleasc déag. D'imigh sí as mo shealladh mar a dhéanfadh réalta scuab ann; mar ghrian a mhúchfaí agus nach bhfágfadh ina sliocht ach geamhfhuíoll suaite dá glóir. Ach sin féin, chuir sé luan orm—ormsa, Laurence Murphy, cléireach dlíodóra i ngnólacht Mhic Thomáis, 9 Sráid na Cille, Baile Átha Cliath. Mise Labhrás—fear mar chách—Ó Murchú. Bhí an luan sin i dtimpeall mo chinn agus níor chuimhnigh mé gurbh i gceann de shráideanna cruógacha Bhaile Átha Cliath a bhí mé ag a cúig tráthnóna. Ná go raibh busanna agus feána agus cairteanna agus rothair ag coimhlint i mbun gnóthaí chomh dearfa, chomh dolúbtha le leasuithe Acht Parlaiminte; agus a dtarraingt ar chinn chúrsa chomh haonrianach, chomh seasta le cúrsa na gréine féin. Ná go raibh oifigí ag díscaoileadh a gcomlán d'Aitheachthuatha na gcleití ndeirceach agus na bpár ngortach. Ná go raibh fir agus mná go n-éadaí fóntais agus go gceannaithe dorrga ag freastal dá saol deirceach driopásach. Ná go raibh mise—Labhrás Ó Murchú, cléireach dlíodóra—ag freastal do chúrsaí mo shaoil dheircigh dhoirbh féin. Sceith leagain leasuithe na nAcht Parlaiminte amach ina sreabhanna filíochta mar bheadh cuasnóga meala i móinéir. Sheas an ghrian sa spéir. Bhí luan orm fearacht is dá dtagainn i líon aingil a roinnfeadh an ghlóir liom. Labhrás Ó Murchú, cléireach dlíodóra, caite díom agam. Labhrás Ó Murchú, cléireach dlíodóra, idir chnámh agus fheoil agus anam bronnta agam ar cheannaí ceirteacha le pinn agus pár a dhéanamh de i gcomhair dlí agus diagachta . . .

Bhí mé ansiúd ag an aonú fleasc déag ar feadh na faide. Fhobair do bhus mé a mharú. Bhí tram ina sheasamh le mo sháil agus a chuid cloigíní ag dul le gaoth na gcnoc. Tháinig an póilí. Ba dhícheall dom an scéal a cheartú dó gan Labhrás Ó Murchú, cléireach dlíodóra, a chur orm féin arís. Ba shásamh leis, daile, nach raibh mé ar meisce, agus lig sé an eang liom ar aithne a chur orm gan a dhéanamh arís. Idir an stad agus doras na hoifige lig mé uaim trí bhus. Cúig nóiméad don sé a bhí sé an uair a bhí mé ag mo theach lóistín. Leag mé seanfhear agus chuir mé gadhairín puismhná ag síanaíl, ag teacht amach as an mbus dom. Thug mé freagra giorraisc ar ghearrchaile a raibh bosca aici ag bailiú do chúrsaí grá dia eicínt. Níor chuir mé mo chóta ná mo hata ar an gcrochadán sa halla, ach a bhfágáil orm agus a dhul isteach i mo sheomra. Má thug mé fáir ar bheannú bhean an tí ba rífhánach é. Ná níor chuir mé mo chuid slipéar tí orm féin ach suí mar a bhí mé chois na tine. Tar éis an tae chuaigh mé ar léamh an pháipéir. Léigh mé alt faoi fhionnachtóir eicínt a shiúil limistéir anaithnide sa domhan thoir. Ceithre huaire a d'fhéach mé le brí an ailt sin a thuiscint, ach ní raibh gar ann. Bhí mé ag feiceáil na bhfocal agus á rá, achn ach raibh siad ag toilleadh i mo

cheann. A gcruth amháin a bhí ag frith-thaitneamh ar
fhorscamall eicínt de m'intinn . . . Tharraing mé chugam
Rob Roy—an ceann deiridh den tsraith. Níor chorraigh
mé amach aon tráthnóna le mí ach á léamh. Ní raibh gar
ann ach oiread. A dhath cluana níor fhéad a chuid gábh-
anna ná éachtaí a chur orm. D'fháisc mé orm arís mo chóta
agus mo hata den leaba. Ach cá rachainn?

Thréig mé Club na Steallairí dhá bhliain ó shin. Bhí
an táille rómhór ar scáth an tairbhe . . . Pictiúir? Bhí mé
móidithe ina n-aghaidh le trí ráithe. Ní raibh iontu ach
luisne ghreadhnach as saol nach raibh ann nó, má bhí,
nach bhféadfadh scríobadh choíchin le saol deirceach
cléireach dlíodóra . . . An Dráma? An dráma deiridh a
raibh mé aige, cúig mhí ó shin, ceann ag móradh an phósta
agus an teaghlaigh a bhí ann. Na céadta daoine a chuaigh
ar bís á fheiceáil, nó an líon léirmheastóirí agus craobh-
scaoilteoirí a mhol go hard acmhainneach i bpáipéar agus
i gcrannóg é, dá smaoinídís ar imeachtaí chúis Nualláin v.
Nualláin a bhíodh sna páipéir chéanna a raibh moladh an
dráma iontu—ach ní smaoineodh . . . Léacht? Bheadh
ceann an oíche sin i Halla na hEaglaise, Sráid Mhichíl, faoi
choimirce Chumann Cosanta na mBan Inphósta. Fritheadh
cártaí cuirthe san oifig ina chomhair. An uair dheiridh a
raibh mé ag léacht, sé seachtaine ó shin, ní raibh a dhul as
agam. Léacht faoin dlí é, agus cuireadh i dtuiscint dom
gur den chuí agus den mhúineadh a dhul ann. Labhair an
máistir i dteannta a lán bogha mór eile. Mholadar dlí,
dlíodóirí, reachtanna, cúirteanna, achtanna, cóid—ach
smid níor dhúradar faoi na truáin bhochta a shaothraíos a
gcuid pár naofa dóibh ar chaolchuid. Ar mhaithe le cúrsa
grá dia eicínt nó eile a bhí an léacht ann . . . Cara? An
t-aon chara amháin a bhí agam ó theacht go Baile Átha

75

Cliath dom—Peadar Ciosóg—é siúd ar strachail mé cupla ala shuairc ón angar agus ón ainriocht leis, bhí sé faoi chréafóg le seacht mbliana, agus ní raibh oidhre ina fharradh . . . Geábh spaisteoireachta? Bhí mo chóta mór róscagtha agus mo bhróga róthais le bualadh faoi sin. Agus ní raibh aon ghair agam tosaí a chur ar na bróga eile go bhféadfainn tíobhas coicíse a dhéanamh. Ach dá seasadh an aimsir chomh goimhiúil is a bhí, seal eile, chaithfinn cóta mór a fháil ar uain nó ar éigin . . . Airleacan eile ón nGiúdach. Ní raibh a mhalairt ann . . .

Chuaigh mé go dtí cás liom agus thóg mé amach litir Shorcha. Rinne bileog dhá leath le haois. Leag mé anuas ar an mbord í, go léinn arís í—den chéad uair le trí bliana, creidim. Ach bhí na focla agus na friotail ag crapadh siar as mogaill m'intinne mar bheadh eascanna á sníomh féin síos trí láib . . . Sorcha bhocht . . . Na damhsaí . . . na geábhanna spaisteoireachta Domhnaigh i nGlinn Chraoi . . . B'in í an chéad bhliain—an chéad leathbhliain . . . Agus ansin? . . . Ansin chois na tine scuabadh siar mé ar na sé bliana déag agus fiche a bhí caite de mo shaol . . .

A theacht go Baile Átha Cliath isteach in oifig dlí Mhic Thomáis dom seacht mbliana déag ó shin. Ar rothar go dtí sráid neamhthaibhsiúil a thagadh Mac Thomáis chuig a chuid oibre sa saol úd. Ach d'aistrigh torchaire an tsaoil Iar-Chonnartha go Sráid na Cille i ngluaisteán é, agus chuaigh sé go gairid ar thodóga. Ach má ghnóthaíonn sé cúis thábhachtach ar bith is furasta a aithint ar na floscaí a bhíos aige fós féin gur fhan fionn na sráide neamhthaibhsiúla ar a shúile riamh . . . A theacht go Baile Átha Cliath dom. Mé bog óg. Oideachas cothrom agam. Spéis na hóige

sa saol agus i gcoraíocht acmhainneach an tsaoil: i gcleasa
lúith, i ndamhsa, i suirí. Sealad i gcumann Reathaithe na
nDaimhíneach. Corrghiota filíochta i gCúinne na bhFilí den
Saor-Éireannach Seachtainiúil . . . Bliain i mBaile Átha
Cliath agus ní raibh mé istigh i bhfaiche imeartha ó shin.
Leathbhliain in oifig Mhic Thomáis agus gheobhainn an
blas céanna ar líne filíochta is a gheobhainn ar fhuath fíona
. . . Damhsaí. Níl damhsa dá raibh ar m'acmhainn nach
raibh mé aige ar feadh bliain go leith. Uaidh sin amach,
corrdhamhsa bliantúil faoi choimirce Chlub na Steallairí;
agus iad sin féin, cé is moite den ticéad a cheannach,
d'éirigh mé astu tá naoi mbliana ó shin. Ní raibh gair agam
a bheith ar chomhfheisteas le cách gan a dhul i bhfiacha—
agus mé ag coraíocht le seanfhiacha . . . Suirí. Cé go raibh
sé ar cheann de na sónna ar chaith mé na blianta á thaibh-
reamh dom féin ní bhfuair mé oidhre riamh ar Shorcha . . .
Sorcha bhocht. Mo léan. Oifig phlúchta Shráid na Cille
agus trí nó ceathair de chúiseanna dlí sa mbliain de mhaca-
samhail Nualláin v. Nualláin . . . Suirí! Chríon an phrochóg
sin i Sráid na Cille an fheoil agus an fhéith ionam. Scag sí
mo chuid fola nó nach raibh inti ach liathuisce. Mhearaigh
agus chrap sí m'intinn go raibh sí ina críoch dheilgneach
*whereas*anna. D'fhág sí ina díonbhrollach dothuigthe, ina
preamble ginloicthe d'Acht nár feidhmíodh riamh mé . . .
Suirí! Gan fuil gan feoil, gan éitir, gan ghus, gan acmhainn.
Fear bréige—ní fear. Leithscéal duine—ní duine. Ag iar-
raidh taibhse uaisleachta mo chion posta a chaomhnú.
Culaith nua faoi dhó sa mbliain, malairt bóna gach lá; mé
ar choiste Uinseann de Pól mo pharóiste féin; ag déanamh
éagóra airgid orm féin ag dréim lena bheith chomh grá-
diaúil le mo leithéid, agus gan díol grá dia i mBaile Átha
Cliath ba mhó ná mé féin . . .

Braon óil gach aon cheithre mhí, b'fhéidir. Fuisce agus fíon le Peadar Ciosóg. Cupla amhrán. Seanchas agus scéalaíocht. Ba í sin an t-aon cheirt amháin den daonnacht a ghreamaigh dom—an scéalaíocht. Bhainidís gáire amach, mar scéalta. Deirtí go mb'ait uaim aithris canúna agus goití a dhéanamh ar dhaoine a chonaiceas nó a chualas. Ach tar éis an tsaoil ní raibh i mo chuid scéalta agus geáitsí ach coirp. Ná ionamsa ach cinnire *marionettes*.

Fanacht sna tithe ósta nó go gcaití amach muid. A dhul go dtí síbín tar éis an ama. Oilithreacht aimrid dhoscúch trí na cúlsráideanna meathdhorcha . . . An filleadh leamh abhaile trí shráideanna bánaithe domhain san oíche . . . Agus bheinn i mo chléireach dlíodóra go ceann ceithre mhí arís . . .

Tá a fhios agam nach raibh gach uile chléireach dlíodóra mar seo. D'éiríodh cuid acu as a bpoist. Sula bhfostaíodh ollphortán ilchrúbach an dlí sách teann iad bhídís imithe. D'ardaigh fear acu slam airgid as an oifig, ach gabhadh é ag rása mór i Sasana agus cuireadh trí bliana air. Chuaigh ceann eile le gadaíocht. Ceann eile le gealtachas. Phós duine bean shaibhir. Fear eile atá san oifig i gcónaí, phós sé bean nach raibh lí na léithe aici. Chinn orm riamh a thuiscint cén chaoi a n-éiríonn leis a mhuirín a thógáil. Faoi chomaoin don Ghiúdach . . . Ar ardú orm ag an máistir . . . Is é sin a fhearacht ag an tromlach é. Faoi mhóide moghsaine agus fónaimh don phortándia . . .

Seacht mbliana déag de Bhaile Átha Cliath. Seacht mbliana déag i mo chléireach dlíodóra. An chuid suntais agus aithrise ba mhó a bhain leo go n-athraínn lóistín faoi dhó sa mbliain. B'in é an t-aon nuaíocht, an t-aon athrú, an t-aon anbhá a bhíodh sa saol aonghnéitheach sin. Ach ní raibh mé ag lorg athraithe ná callóid intinne ar bith.

Ba leor liom a bheith i mo bhean ghlúine d'ollbhroinn aimrid an phortándia. Tnúthán ar bith ná caitheamh i ndiaidh athraithe ná callóide níor fhág sin agam. Bhí a raibh de dhúchas agus d'anam ionam á martrú agus a gcrandú le hongaíocht mharfach an phortáin . . . Nó gur casadh an bhean sin i mo chosán tráthnóna . . .

Ní gar duit a rá gur le spéis sa mbean é. An comhtheilgean pearsanta sin in aon mhúnla a thug sí dom féin agus do John Doyle a bhain an feanc asam. Jekyll Ó Murchú. Hyde Ó Dúill . . .

An Dúllach seo . . . An raibh sé óg sean, ard íseal, tanaí ramhar, slachtmhar míshlachtmhar, dúr pléascánta, dúnárasach craobhscaoilteach, taghdach foighdeach, duáilceach suáilceach . . . Tháinig sraith codarsnaí os mo chomhair ag cruthú as luaith an chosamair tine. Ba é béal na lainne agus cúl na lainne é. Ba é an geal agus an dubh é. An grá agus an ghráin. An grásta agus an peaca . . . D'fheicinn na fritéisí seo á sníomh agus á searradh, á n-aclú agus á bhforbairt féin nó go gclaochlaídís agus go n-aibídís ina sintéis chumasach Heagalánach. Nó go n-éiríodh Seán Ó Dúill chugam ina Dhaghdha ábhalmhór éachtach agus gach cáilíocht agus codarsna cáilíochta dá raibh riamh sa duine arna ndeilbh i gclanna a nádúir . . . Eisean amháin a raibh aon ghair aige a bheith slachtmhar agus míshlachtmhar, grámhar agus gráinniúil, grástúil agus peacúil i gcuideachta . . . Agus shníomh an Macán Mór, an Promaitéas seo a ábhalghéaga aníos as an láib réamhdhamhnúil; go ndeachaigh trí dhomhan de rite reathach; gur thaltaigh sé in aon láithreachán amháin faoina bhoinn cairn mhaitheasa agus mhímhaitheasa, galláin chlú agus mhíchlú, páir chóra agus éagóra . . . Chonaic mé a shaighead toirní, a lann tintrí ag díláithriú stát agus oireachtas, cliarlathais agus ordlathais, fundúireachtaí agus fothúchán . . . agus ba ghlonnmhar an glugar a rinne Sráid na Cille— sráid an Dlí agus na Córa agus na Cuí—san oll-díláithriúchán coiteann. Bhí mé féin amháin de na stuifíní daonna, agus an t-oll-athAitile seo i dhá cheann sprus saoil . . . Chruthaigh stua caithréime a tháthaigh ina chéile muid, go ndearnamar aon pheaisa amháin. Agus sa táthú éinirt agus uilechumhachta sin, mhothaigh mé mo shuaraíl féin ag truailliú a oirearcais-sean; agus a oirearcas-san ag uaisliú m'úiríslese; agus an stua ag fáscadh orainn de shíor, gur réabadh muide freisin, inár mbrúisc spruis; agus gur slogadh siar síos ar chúla na gríosaí sinn—ar ais sa láib ghrin . . .

Chuir mé cupla cnapán guail ar an tine agus shéid mé suas an athuair í. D'fhéach mé leis na haislingí uaiféalta seo a chaitheamh as mo cheann. Tharraing mé chugam féin sean-irisleabhar scannán as tóin almóra agus thosaigh mé ag cur tharam na leathanach. Ach ní raibh éadan aoilinne ann nach iad snua múscaí agus súile diongbhálta na mná sin a bhreathnaigh chugam as. Ná ní raibh fear ann nárbh é Seán Ó Dúill é. É ag tabhairt leath ó gach uile cheannaghaidh agus leath d'fharasbarr aige ar gach uile cheannaghaidh: scéimh, spéiriúlacht súl, ball seirce, luan rómánsach . . .

Ní raibh de bhuairín agam ar an rífhear seo ach a thaifeach ina fhíorcháilíocht mar shlis den chrannach dhaonna is Baile Átha Cliath . . . Lóistéir. Seomra cúil aige ar cíos, b'fhéidir. Seacht scillinge sa tseachtain. É ag ithe a dhinnéir amuigh. Bean an tí ag réiteach na mbéilí eile dó ar shéisín. Síorchlamhsán faoin ngual, faoin ngeas, faoina

dhoras a dhúnadh le tormán gártha, faoina bheith agsiúl
síos agus suas ina sheomra domhain san oíche ag cuach-
fheadaíl nó ag crónán agus ag cur a gcuid codlata amú ar
na lóistéirí eile . . . Bhí sé pósta. É taobh leis an aon seomra.
Lán an tí de pháistí air agus é ag síorchrácamas leis an
saol ag iarraidh a dtógáil . . . Bhí post seasta teolaí aige.
Riar a cháis. Spaigín le haghaidh na coise tinne. Rún aige
mac leis a chur chuig an ollscoil, mac le gnaithe, duine eile
le bheith ina shagart, an mac is óige le dlí . . . Ní raibh sé
pósta chor ar bith. Bhí a athair básaithe agus ba é an t-aon
chúl toraic a bhí ag máthair lag é. Ghread an chuid eile
den chlann leo. Phósadar. Threabhadar—gach ginealach
díobh—a scríb féin, agus d'fhágadar cúram na máthar
uilig airsean . . . Bhí an chlann uile go léir cruinn fós.
Patairí beaga scoile. Scoracha a bhí ina dteachtairí, ina
bhfriothálaithe Aifrinn, ina ngasóga. Deirfiúracha aige a
bhí ag síneadh suas lena bheith ina gcailíní óga, agus
an-lear den leiciméireacht ghasta sin ag siúl leo a thugas
an Éabhchlann go minic ar shóntacht agus iad ar an stoc-
runga idir a bheith ina ngearrchailí, agus ina mná. Iad ag
rá gach uile phointe leis an scoth ab óige ná iad féin: 'Nach
sónta an mhaise duit é. Cén chaoi a bhfaighfeá ionat
féin . . . ?' Bhí sé an-gheal dá chuid deirfiúr. Cheannaíodh
sé bronntanais dóibh gach Nollaig. Bhíodh a ngrianghrafanna
ina thiachóg phóca aige le taispeáint do na cairde ba dhílse
dó . . . Coilgneach gearblach a bhíodh sé leo agus bhíodar
i bhfaitíos roimhe. D'éirídís as a gcuid cabaireachta agus
ealaíon ach a suíodh sé síos ag a bhéile gach tráthnóna i
ndiaidh a chuid oibre. Maidineacha Domhnaigh bhíodh
sé drisíneach agus ag cur milleáin ar gach uile dhuine nár
dúisíodh in am é le haghaidh an Aifrinn, faoi go raibh a
chuid uisce bearrtha fuar . . . Siúinéir a bhí ann. Bhíodh

sé ag síorchaint sna tramanna, sna busanna, sna tithe ósta agus ar na coirnéil faoi chártaí comhaltais, faoi urrús, faoi dheolchairí, faoin 'obair'. Cuireadh bannaí air faoi thurraing a chur i sáirsint póilíos aimsir na staince móire . . . Gíománach urrúis a bhí ann . . . Buachaill siopa . . . Dáileamh aíochtlainne . . . Cléireach dlíodóra . . . Cléireach dlíodóra i bprochóg eicínt den chorcóg chlamhach sin i Sráid na Cille . . . Chiap an smaoineamh sin mé i gcaitheamh na hoíche nó gur dhearbhaigh mé san oifig lá arna mhárach nárbh ea . . .

Tráthnóna an lae dar gcionn arís agus cuid mhaith tráthnónta agus laethanta ina dhiaidh chaith mé leathuair— uair scaití—ag fálróid síos suas, anonn agus anall, ar fud na sráideanna ag faire na mbusanna agus na dtramanna; ag dul isteach i siopaí, i dtithe pictiúr, i saotharlanna, i mbialanna; ag dul chuig cruinnithe sráide, mathshluaite, tóstail, suaitheantais, cluichí . . . Chuir mé fógra i bpáipéar tráthnóna . . . Cheadaigh mé eolaslann lucht tóraíochta agus faisnéise . . . Ba mhinic mé amach go ceann scríbe agus ar ais arís ar bhus a 19 . . . Cheistnigh mé stiúrthóirí busanna agus tramanna, fir phoist, bailitheoir gearrthacha, giollaí siopa, sagairt, malraigh scoile, stocairí coirnéil . . . As fiosracht chorrmhéiniúil a chuaigh mé ag cuartú an bhoinn, ach níorbh fhada go raibh mé luiteach leis an saothar ar a shon féin. Ansin thuig mé gan aireachtáil go mba chuspóir é nach mbeadh scéimh ná séan ná saol dom dá uireasa. Ba thóir dhosheachanta é. Oilithreacht spioradálta arbh fhiú do dhuine am, dúthracht, stuaim, só, oidhreacht agus gus nuige an t-anam féin a chur i ngeall ar a shon.

Agus chuaigh mé chun luiteamais le hobair na hoifige, freisin. Níor bhró mhuilinn na pinn ná na cló-innill, níor pheiríocha na páir mar a bhíodh. Go fiú is an giota déisteanach sin faoin obainn sáite i gcúis Nualláin v. Nualláin a bhí mé a chur faoi réir den aonú huair déag . . .

Ach chinn dubh agus dubh orm bonn na mná úd a fháil. Maidir le Seán Ó Dúill, bhínn go síoraí á fheiceáil . . . Ba úd é é aníos an cosán colbha. Ceann agus guaillí aige thar tháinte na sráide. Brúisc stuifíní amach as teach pictiúr ag teacht ina aghaidh, ach í á scoilteadh roimhe mar dhéanfadh guaillí loinge le hucht na toinne. Imeacht diongbhálta na conablaí dea-dhealfa; luascadh uaibhreach na nguaillí géagacha; an ghluaiseacht stáidiúil—ba iad a chronaíos. Ba de thréathra Sheáin Uí Dhúill an choiscéim bheo, an t-iompar seolta, na guaillí storrúla, na géaga cumasacha sin. Is é atá ann. D'aithneoinn é go dearfa ach a dtagadh sé sách gar dom . . . Ach bhí claonfhéachaint ina shúil mar a bheidís ar luamháin . . . Agus crosóga bolgaí ina leiceann . . . Agus idir sin agus na súile, is é an gotha a bhí air i ngar duit mar a bheadh ceann de na cuaillí suaitheantais sin a bhíos ag siarchasadh ag doirse bearblann . . .

Scafaire a bhfuil maorgacht gach eilte sa méid dá uachtar a bhfuil feiceáil air os cionn chorr an bhoird itheacháin. Ór leata gach gréine ina ghné. Finne bhunaidh gach finne ina fholt. Sméar mhullaigh *La Jeunesse Dorée* . . . Nach mairg gur sa gcúinne cúlráideach sin a shuigh sé. Nach mairg go raibh an báire ban sin greamaithe timpeall a bhoird mar a bheadh plá mhíoltóg in eang a ghearrfaí i rúsc oráiste. Ach bhí siad réidh. Rachadh sé anonn go dtí fuinneog na hoifige leis an dola a íoc, agus bheadh feiceáil agam ansin air ó rinn a choise go dtí uain a chinn fhinn. Seán Ó Dúill

féin ina chruth agus ina dhealramh . . . Bhí an ógbhean
bhánghnéitheach sin a raibh a béal ina speigneanta dearg
ag éirí. Bhí siad ar fad ag éirí . . . Maide croise. Leathchos
ghiortach . . .

I nGairdín na mBeithíoch a chonaic mé ar dtús é.
Domhnach a bhí ann. Ní raibh a dhath le feiceáil ná méar
i gcluais le cloisteáil, ach clabaireacht ghéar ghasta malrach,
éadain leibideacha na máthar meangach, súile sóntacha
na gcrónfhear cunórach. Brotainn na gcúlsráideanna as
éadan agus iad cruinnithe ina gcluichí ag déanamh iontais
de leath deiridh na moncaithe. Go dian os cionn staidéir
ag grinndearcadh an mhoncaí dhuibh a bhí Seán Ó Dúill.
Ar a dhul anonn dom go bhfaighinn leid ar a cheannaghaidh
—mar bhí a dhroim liom—tháinig brúisc de na crónfhir,
de na máithreacha agus de na páistí idir mé agus é; agus
b'éigean dom fanacht san áit a raibh mé agus a theacht
lena mhullach, lena chúl, lena ghuaillí agus lena dhroim a
scrúdú. D'iontódh sé chugam, daile, pointe ar bith. Ní
bheadh acmhainn ag Seán Ó Dúill féin seasamh os cionn
staidéir mar sin aon achar, leis an tsianaíl gháire, leis an
tseafóid chainte, leis an nguailleáil mhíbhéasach . . . Agus
d'iontaigh . . . Seán Ó Dúill . . . mura mbeadh an tsrón.

Ach dá fhad go dtí é, bhí sé agam faoi dheireadh agus
faoi dheoidh. Ní ciméara ar bith a bhí ann an iarraidh seo.
Tar éis mo chuid anró agus tóraíochta, ba dhochreidte an
scéal é go n-éireodh liom breith thall mar sin air . . . Bhí
mé ligthe isteach ar shlat an droichid i bhFaiche Stiofáin
lá, agus mé ag breathnú uaim go fánach. Chonaic mé an
fear ag déanamh orm go righin réidh aníos le cosán na
linne. Bhí sé chomh fada sin uaim is nár fhéad mé cronaí
mhion a chur ann. Ach b'fhurasta a aithint a dhubhairde,
an t-imeacht seolta agus an téagar feiceálach a bhí ann—

84

sular sciob na crainn i gcasadh den chosán uaim é . . . Ach
bhí sé chugam arís ar stróic eile den chosán—an ceann ríoga,
na slinneáin dhaingne, an cliabhrach cumasach . . . Sciob
na crainn uaim arís é agus d'fhág siad i bpiolóid mé in
imeacht cupla nóiméad . . . Ach b'eo é arís é—in aice láimhe
anois . . . Mo Sheán . . . Mo Sheán glórmhar Ó Dúill . . .
Bhuail an oiread sin de riastradh gliondair mé is go
mb'éigean dom mo shúile a shá sa talamh, mar bhí fionn
ag teacht orthu. Ach dhoirt mé anonn le ceann an droichid
go mbeinn roimhe. D'airigh mé a choiscéim mhall mhaorga
ag teannadh liom. Ba bheag nach raibh a anáil le cloisteáil
agam . . . Bhí sé ar bhall na háite; nó geall leis. Ach níor
thóg mé mo shúile . . . Bhí mé ag déanamh tíobhais
ghliondair . . . Ba gheall le haisceánach nó óglach mé ag
dul i láthair rí oirthearaigh . . . Ba é caíúlacht an ómóis
dom gan a n-ardú go dtí uair na hachainí—uair áiféalta
an fhoilsithe . . . Barr a chuid bróg . . . plucaí a bhríste ag
na glúine . . . Bhí mé á n-ardú suas i leaba a chéile anois
. . . go dtí an chonablach ar thug gach fear urrúnta a
spreacadh uaithi . . . go dtí na súile ar thug gach fear rosc-
spéiriúil a leagan súl uathu . . . go dtí an ceannaghaidh
arbh é scéimh gach fir shlachtmhair é . . . Chruinnigh seile
i mo bhéal . . . Gach uile lá riamh bhíodar fealltach—na
Giúdaigh chéanna . . .

Ach bhí Seán Ó Dúill faoi fhallaing dhraíochta i riocht
agus nárbh aithne é thar fhear mar chách. Ba dhia gan
chronaí sa slua é, agus snua, iompar, goití agus béarlagair
an tslua charraigh, aonchruthaigh, líonndubhasaigh seo
aige . . . nó go dtagadh an tráth dó é féin a fhoilsiú . . .
Ansin chaithfeadh sé a fhallaing cheilteamais de agus
d'fheicfí an dia ina chruth agus ina dhealramh. Fúmsa a
bhí téisclim a shlí . . .

Má ba liomsa a bheith i mo bholscaire teachta aige níor mhór dom a bheith i mo bholscaire a dhiongbhála . . . D'ionsaigh orm ar Scott arís: agus ina dhiaidh sin ar Porter, Lytton, na Brontës, Cooper, Hugo, Dumas, Sienkiewicz, Le Sage, Cervantes, Merimée, Malory, O'Grady, na Mabinogion, Andersen . . . rómánsaíocht, finscéalaíocht, fíorscéalaíocht, fabhalscéalaíocht, eachtraíocht, iomramha, taistealaíocht, stair . . . go fiú agus filíocht. Chuir mé spéis iontu nár chuir mé riamh cheana. Chaith mé ní ba mhó ama agus dúthrachta leis an léitheoireacht ná a rinne mé ó d'fhágas an scoil. Ba mhinic a rug glasadh an lae i mo dhúiseacht orm. Bhí a shliocht orm: níor ghruagach ábhalmhór arrachtach éagruthach é Seán Ó Dúill ní ba mhó. Bhí m'aithne air ag méadú in éadan an lae. Go deimhin, bhí mé i dteanntás chomh mór sin anois leis agus go dtugainn m'ainm muirne air—Lonn—Lonn Lámhláidir Leadartha Ó Dúill as rise gaisce atá imithe ar throigh gan tuairisc le fada an lá . . . Lonn Lámhéachtach Ó Dúill ag tarrtháil bantrachta ó fhathaigh mhíofara. Lonn Lámhláidir Ó Dúill ag díothú arrachtach oilbhéasach. Ag baint fothramáin as an gcuaille comhraic ag gruagach thrí gceann thrí mbeann agus thrí muineál eicínt. Ag fuascailt na ngeas agus ag filleadh faoi chaithréim ón Domhan Thoir leis an each caol donn, le fios fátha an Aon Scéil agus leis an gClaíomh Solais. Ina ridire faoi chlogad agus faoi lúireach ag cur catha ar son na córa agus a bhruinnille. Ag scoitheadh ruaghaoth Mhárta mar Chaoilte. Ag mealladh ban mar Mhac Uí Dhuibhne. Ag breith bua choscair agus chómaíte mar Oscar anghlonnach. Ag bearnú slua fré chéile ina riastradh Conchulannach. Ag ciorrú corp díchreidmheach lena lann, fearacht Choid. Ina Ghallghad ag síorchoraíocht le moingeanna doshiúlta agus le fiobhaí

86

feille agus le bealaí do-aithnide droibhéalacha ar thóir
San Gréal eicínt nach raibh fáil uirthi ach ag an ridire
nach ndeachaigh a dhath de ramallae bhocht liath an
tsaoil faoina chroí . . .

Bhí mé abail sé ar Áth na Foraire, sa mBruíon Chaorthainn
agus deireadh oíche ar an gcarraig; lá léin Ghabhra agus
é ag cur sciath thar lorg don fhuíoll áir; lá Tours, lá Lepanto,
lá Fontenoy, lá Austerlitz, lá Ghettysburg, lá Chúl Odair
. . . i dTearmoplae, in Acre, i nGranada, in imruathar an
Bhastille, sa gcúlú ó Mhoscó . . . ag Droichead Átha Luain,
i Sráid an Mhóta, sa gCúirt ag an tSráid Uaithne, sa
leaba i mBrixton, ag Aíochtlann Hammam . . . Chuireamar
glúin le glia agus aghaidh le himghoin orainn féin ar na
mílte fód áir. Ba thaisiúil le trua agus ba throdúil le tréan
sinn. Ár rosc catha: 'An Chóir agus an tOineach Abú.'
An comhlann ba choscraí, an fuíoll áir ab fheidheartha, an
chúis ba bhasctha, ba iad ar mbuac iad . . .

Gan mórán achair bhí mé ag cumadh filíochta: laoi
fhada a raibh Niachas na n-aoiseanna ann, agus Lonn
Lámhéachtach Ó Dúill in earra agus in éide i gcois dá
leith air . . . Ach ba shaothar in aisce é. Níor mhór dom na
blianta le teas na filíochta a bhí téachta asam ag páranna
sceirdiúla dlí a thabhairt ar ais i mo chuisle arís . . .

Thugas faoin líodóireacht. Théinn chuig múinteoir
líníochta agus chuig cúrsaí na ceardscoile sealad. Rinne mé
foghlaim ar m'aghaidh féin. D'ionsaigh orm. Ba ghairid
go raibh mé ag líú pictiúr . . . Ach bhí mo shaothar ar fad
uireasach. Dar liom ní le fogha ná easpa ar bith a bhí sna
pictiúir féin é. Ach gach amharc dá dtugainn ar an scáthán
scalladh sé mo chroí. Ba é mo sháith smaoineamh go mbeadh
sé de mhearbhall amhairc ar dhuine ar bith go mba léir
dó cosúlacht a bheith ag an gceannaghaidh tuartha

rocach seo a d'fhoilsigh an scáthán dom leis an gceann-
aghaidh ar chaith mé dúthracht dc lá agus d'oíche ag
iarraidh a chuid scéimhe, a chuid geanúlachta, a loinnir
ghaisce agus a luan diagachta a chuibhriú ar pháipéar
neamhumhal . . . Ní raibh i scátháin ach íl—íl a cheil a
uaisleacht, a chrógacht agus a dhiagacht ar an duine, agus
nár lig leis de féin ach an smearadh mullaigh . . . spréóg
dheannaigh a buaileadh air agus í á fuadach i ndiaidh a
cinn roimpi ó chearta na cinniúna. Ba mhór dá fhonn a
tháinig orm a dhul ag briseadh scáthán mar shaothar
spioradálta. Ach bhí a n-adhradh ró-fhorleathan agus mo
dhíol de shaothar spioradálta ar m'aire cheana féin. Ach
chuir mé scáthán mo sheomra i bhfolach. Sheachnaínn
scáthán na hoifige agus na bhfuinneog mór. Chaith mé
uaim mo chás toitíní. Bhí loinnir ann a bhféadfá thú féin
a fheiceáil inti, geall leis. An uair a d'osclaíodh mná a gcuid
tiachóg le m'ais ar bhusanna, bhreathnaínn i dtaobh eicínt
eile lena gcuid scáthán cluanach a sheachaint . . .

Ag dul isteach chuig Taispeántas líphictiúr dom lá,
tháinig scáthán taobh-bhalla in oirchill orm. Chuir mé
gabháil leabhar agus cás láimhe a bhí agam tríd, de mo
sheanurchar. Rug sliseoga de san éadan orm agus tháinig
srutháin fhola liom . . . an chéad fhuil a dhóirt mé ar shon
Loinn Choscarthaigh Uí Dhúill. Sin a thomhais céard a
cheap lucht an Taispeántais . . . gur dearmad a bhain
díom . . . gur shíl mé go raibh comhla dorais ann, agus gur
bhris mé í ag iarraidh a hoscailt mar dhóigh dhe . . . Ain-
neoin mo chuid cuthaigh, agus ainneoin a liacht uair ar
dhúirt mé leo gur d'aon uaim a rinne mé é, ní chreidfidís
nach timpist a bhí ann. Bhí sé de rún acu doirseoir a chur
ann feasta . . .

Bhearrainn mé féin ag sméaracht leis an rásúr anonn agus

anall ar fud m'éadain. Sheachain mé tithe bearbóirí. Bíonn siad druidte le scátháin. Bhí folt chomh fada sin orm uair amháin is go bhfuair mo mháistir caidéis ghangaideach dom is gur fhiafraigh an raibh rún agam a dhul le *art*. Cupla lá ina dhiaidh sin, mar a bheadh sé de bheith orm a chuid cainte a dhearbhú dó, nár rug sé ar rélínreadh a bhí tarraingthe agam ar chóip d'fhianaise chroschúis Nualláin v. Nualláin. Bhagair sé mo dhíbirt orm. Ní fhaca mé chomh spréachta riamh é agus a bhí sé an lá sin.

B'éigean dom ansin a dhul chuig bearbóir dá fhada go dtí é. Chaith mé seal ag guairdeall timpeall ag tóraíocht bearblainne ar bheagán taibhse. B'iontu ba lú ar dhóigh de scátháin a bheith. Bhuail mé faoi cheann sa deireadh i dtaobhshráid chúlráideach. Mo léan dóite! Fáisceadh anuas mé i gcathaoir dhromard nár fhág réiteach ar bith ag mo ghéaga . . . Agus bhí scáthán do mo ghrinndearcadh sa streille; ceann ar airdín mo chúil; ceann anuas ar uain mo chinn; péire isteach i dhá pholl mo dhá chluas; ceann ar thaobh amháin den bhalla ag baint faid fhiaraigh mhí-nádúrtha as mo shrón ar thaobh na deasóige; ceann eile ar an taobh thall den bhalla á strachailt chomh claontach céanna ar taobh na ciotóige; agus í eatarthu mar ghearradh gabhláin a bheadh san ainmhéid. Agus bhí mé íogmhar riamh faoi mo shrón, ó bhaist mo chomhscoláirí fadó 'coltar' orm dá barr . . . Chuaigh mé abhaile gan méar a bhaint de mo shrón agus rinne mé luaith de mo chuid líphictiúr fré chéile idir dhobharlíonna, olaíocha, dubha agus geala . . . idir ghaiscígh, ridirí, tuargnaigh chatha, manaigh agus mairtírigh . . .

Ach cuid is lú ná mí arís bhí mé ag dealbhóireacht . . . Théinn timpeall chuig na Taispeántais, chuig an Acadamh. Cheannaínn na hirisí. Tháinig mé le culaith amháin

éadaigh i riocht is go mbeinn in ann leabhar macasamh-
aileanna de na Gréagaigh, de Mhícheál Angelo, den
Ógánach agus de dhealbhóirí móra eile a cheannach.
Fuair mé butaí cré agus plástair, múnlaí, liáin, siséil agus
na baill acaraí ar fad. Mhúnlaigh agus shnoigh agus dheal-
bhaigh mé . . . déithe agus marcaigh agus gliadairí . . .
'maighrí' agus 'trátha' freisin, creidim. Bhí mo sheomra lom
lán díobh, nocht agus neamhnocht, nós gach aoise agus
gach dámhscoile . . . Ba é a dheireadh, lá dá raibh mé san
oifig, gur thug bean an tí, as daol cantail agus glantacháin,
printíseach gabha isteach a rinne mionspruáin de mo
shaothar as cnámh éadain, cé is moite de riar miondealbh
a sciob patairí na sráide leo as an gcual agus a fuair mé
ag dul timpeall acu mar bhaill súgartha agus mé ag teacht
abhaile tráthnóna . . . B'éigean dom lóistín agus béas a
athrú . . .

Ar a bheith taithithe dom ar mo lóistín nua is faoi
fhealsúnacht a bhuail mé. Chaith mé dúthracht le cuid
d'fhealsúna na Gréige agus an Oirthir. Léigh mé cuid
mhaith faoi chúrsaí imaistrithe na n-anam. Chaithinn
scataí fada ag smaoineamh ar an gceist sin agus gach is ar
bhain léi. Ba ríbhreá an fhuascailt ar an scéal í. Cá bhfios
nárbh fhíor mo chuid aislingí rómánsúla tar éis an tsaoil.
Cá bhfios nach raibh anam Loinn Uí Dhúill i gCúchulainn,
i Leonidas, i bPrionsias Xavier, i Riobard Emmet, i
dToirdhealbhach Mac Suibhne . . . Cá bhfios nárbh í
réamhdhamhna—*protoplasm* bunaidh—na huaisleachta, an
niachais, na crógachta, na fadfhulaingthe í, a bhí ann ó
thús agus a bheas ann go deireadh agus a ruithníos i rífhear
eicínt i ngach ré . . . Ach ar ala na huaire go raibh urú ar
an ngaisce agus a sprid cuibhrithe i gcrotal chomh deir-
ceach chomh feidheartha le mo cholainnse féin. Ach

dhéanfadh sí imirce eile go bhfoilsíodh sí í féin i gcnó mhullaigh na hÁdhamhchlainne arís—i seadaire, i bhfile, i snoíodóir, i státaire (beannacht Dé duit, ní fhéadfadh sprid Loinn Uí Dhúill í féin a fhoilsiú i rud ar bith a mbeadh aon bhaint aige leis an dlí). Chuirfeadh sí claimhte as truaill, meirgí ag foluain, agus amhráin á ngabháil an athuair. Chuirfeadh sí síol callóide i gcroíthe sámha; fíon bríomhar an dóchais ag taoscadh i gcuisleacha seasca aos trua agus tréigeamhach an domhain; gáinní geala den ghriansolas agus den úire agus den arann faoi bhriongláin chríona spadánta seanfhothúchán. Chuirfeadh sí leagan nua ar an tseanáilleacht. Bhéarfadh sí áilleacht úr ar an talamh. Shladfadh sí cuid d'aoibhneas aislingeach sin ár síorthnútháin as bancanna na nÚtópaí, as cistí Thír na hÓige, as taisceáin na glóire buaine . . . Ach a bhfoilsíodh sé é féin domsa . . . do théisclimí an triaith? . . .

Alt faoi Shasanach Meánaoiseach in irisleabhar Domhnaigh a shaighid chun Diamharántachta mé. Ina dhiaidh sin i gcaitheamh tamaill léigh mé an oiread faoi na diamharánaithe is a casadh i mo líon. B'fhacthas dom go bhfuair mé fionnoscailt i leaba a chéile ar bheanna agus ar dhuibheagáin agus ar léaschríocha na spride. Chonaic mé cumraíochtaí éideilbhe ag corraí ar thamhnóga agus ar scothacha fhorimeallacha Dé . . . Ba mhó sásamh intinne mé ná le fada an lá. Go fiú is moghsaine laethúil na hoifige, bhí mé ní ba ghafaí léi, arae chuir mé snua m'aislinge uirthi agus rinne mé cuid de mo thóir di . . . Ach ina dhiaidh sin agus uile ní raibh 'oíche dhuibheagánach an anama' agus croschúis Nualláin v. Nualláin ag teacht le chéile chor ar bith . .

Chuir mé fios ar roinnt leabhar faoi Spioradachas. Ba ghearr go mba mhór an luí a bhí agam leo. Bhraith mé go raibh rúndiamhra ansin freisin a d'fhónfadh dom dá

91

n-éiríodh liom a bhfuascailt a fháil. Má bhí Lonn Ó Dúill—
nó an t-ionchollú seo de, John Doyle, a chinn orm a aimsiú
ar an bhfad seo—má bhí i ndán is go raibh sé básaithe,
nach bhféadfainn a thabhairt i m'fhianaise? Nach bhféad-
fainn a dhul chun cainte leis agus cur faoi deara dó a rún
agus a rúndiamhair a ligean liom? Dúirt na leabhair—
dúirt údair Spioradachais go bhféadfainn . . . Ach bhí mé
i mo bhambairne. Cá dtaitheoinn aos Spioradachais?
Cá bhfaighinn deis mo mhian a chur i gcion? Ní raibh mo
chaidreamh le duine ar bith den dream sin. Ná níorbh eolas
dom go mbíodh cúrsaí den tsórt ar siúl i mBaile Átha
Cliath. Gach uile dhuine dá gcaintínn leis, taca an ama seo,
bhaininn leathbhord as an gcomhrá i gcónaí go dtugainn
timpeall ar Spioradachas é. Seanfhear a bhí san oifig lá, lig
sé liom mar rún mór go raibh eolas aige féin ar áit i Londain
a mbíodh an cheird sin ar siúl ann. Breá an scéal a bhí
aige . . . B'fhurasta dom féin neart áiteacha dá shórt a
fháil gan stró, ach cá raibh m'acmhainn a dhul agus an
oiread achair a chaitheamh ann is go dtaitheofaí le Spiorad-
achas mé?

Agus ansin, lá, agus mé ag teacht anall Droichead Shráid
Chéipil tar éis eire páipéar a thabhairt chuig mo mháistir
sna cúirteanna, tháinig smaoineamh eile dom a chuir droim
díbeartha leis an Spioradachas. Airtist sráide a mheabh-
raigh dom é. B'fhearr uaimse pictiúir den tsórt sin a
dhéanamh ná uaidhsean. Rachainn ag tarraingt pictiúr
ar na droichid—ar Dhroichead Uí Chonaill go háirid, mar
b'ann ba mhó an bualadh. Sheasfadh an bhean sin uair
eicínt ag breathnú ar mo shaothar. Cheistneoinn í.
Chuirfinn Lonn Ó Dúill le bonn má ba bheo marbh é . . .

Cá bhfios nach é féin—Lonn Lámhéachtach Lannláidir Leadartha Ó Dúill—a sheasfadh agus a theilgfeadh de a fhallaing dhraíochta i m'fhianaise, i riocht is go bhfeicfinn dia ag cur scolb ar a chrotal . . . Ach mura mbeadh uair na hachainí ná an fhoilsithe ar fáil; má b'fhearr leis fanacht ina John Doyle, ina fhear mar chách, ina thruaill mar mise, chasfaí le chéile faoi dheireadh thiar muid; arae, bhéarfadh sé suntas don phictiúr; sheasfadh sé ag breathnú air; agus d'aithneodh sé é . . . D'aithneodh, mar is é a líneoinn d'acht agus d'áirid.

Agus dhéanfainn dearbhriocht críochnaithe de . . . Chuaigh mé chuig sean-ghrianghrafanna díom féin. Cheannaigh mé scáthán mór. Chaith mé uaireanta i mbéal a chéile ag grinndearcadh mo cheannaghaidh agus mo cholainne féin—gach roic agus gach cor, gach alt agus gach eitre, gach sceimheal agus gach sclota . . . D'fhéach mé le mé féin a shamhailt sa mhúnla a raibh mé ag dul chun dá bhliain ó shin, an tráthnóna teiriúil úd ar bhuail an bhean bleid orm. Cheannaigh mé gach dath cailce. D'ionsaigh orm ag líníocht gach uile thráthnóna ar leacacha an chúl-mhacha, ar urlár mo sheomra, ar an mbord, ar an bhfuin-neog, ar an mballa sa dorchla le hais an tsoirnín gheasa . . . nó gur cuireadh faoi deara dom lóistín a athrú arís. Síos go dtí lár na cathrach in aice na hoifige a chuaigh mé den iarraidh seo, sa gcaoi nach mbeadh i bhfad orm ó mo shaothar laethúil, ná ó na droichid, ar an dá luath is a mbeadh mo chuid tae ólta agam. Ní raibh sciorta ar bith den ádh ag siúl liom an chéad seachtain, ainneoin a bhreátha ildathaí agus a bhí na pictiúir a rinne mé. Léanscrios air, mura dtosaíodh sé ag clascairt gach tráthnóna taca a sé a chlog—agus gur uaidh sin amach, dá bhfanadh aige, is mó a bheadh ionú ag an daoine breathnú ar mo shaothar.

Ba dhamhna deor agus éadóchais dom féachaintar m oc huid
línte seanga slachtmhara agus ar mo chuid cruth ioldathach
ag snámh leo síos an leac go dtí na deáin mar a bheadh
nathracha riascacha ann ar oilithreacht dhíbhirceach go dtí
tobar míchinniúna.

Clascairt. Clascairt. Clascairt ar feadh seachtaine móire
fada . . . Ach ghlan an uair faoi dheireadh. Tháinig scalán
gréine ar mhaígh a ngeangháire ar fhoirgnimh agus ar
shráideanna uaidh, mar bhláth sceach geal i gclochar
eibhir. Fáinleoga túsimirce ag dul thart ar nós siosúr ag
sceadadh sraith síoda. Faoileáin ag 'babhtáil' go scréach-
anta faoi Dhroichead Uí Chonaill. Pluideoga plúiríní
fuaite ar cheanneasna na spéireos cionn na cathrach. Rosamh
éagruthach amach i mbéal an chuain agus gal loinge ag
ardú os a chionn. Tuar dea-shamhraidh, athnuachan
dóchais, tairngreacht an athaoibhnis i loinnir ghréine, i
mboige aeir, in eiltreog fáinleoige, i dtuirlingt thromghluaiste
an fhaoileáin, i snua spéire, i mbuinneán bus, i nglór
slóchtach an díoltóra páipéar . . .

Tháinig fuadach croí orm. Chuirfinn iad uile idir éan
agus spéir agus scéimh agus dóchas agus gaisce i mo chuid
pictiúr; nó go mbeidís ina gcumraíocht chorónta ar Lonn
Ó Dúill agus fallaing scagach na beatha marthanaí de;
agus luan látha agus riastradh gaisce agus gile gnúise an
ridire air, a bhfuil spré de leas an tsaoil ag cnádadh ina
chroí agus ag déanamh tine chreasa ar óghchruach a lainne.
Rachainn ag obair le fonn . . .

Bhreac mé an cosán colbha faoi shlat an droichid.
Scigphictiúir sho-aithnide de phearsana polaitíochta agus
poiblíochta a bhí sa mórchuid dár línigh mé ón lár amach

go dtí ceann an chosáin ar gach aon taobh. Níorbh fholáir
dom sin le haghaidh an slua a tharraingt ar mo shaothar.
Ach istigh i lár báire, mar Odin agus Valhalla a d'fheicfí i
mbrionglóid, bhí mo Lonn Lámhéachtach, Lánacmhain-
neach Ó Dúill agus méid agus suntas agus ildathanna agus
foirfeacht crutha agus stríce ann thar gach pictiúr eile.
Gan amhras ar bith, ba ríshaothar airtist sráide é, arae
níorbh fhada go mba gheall le corcóg beach an geadán
ina thimpeall.

Ach ní raibh bailchríoch ar mo shaothar fós agam. Theas-
taigh an dearg a bhí róscanraithe a mhíniú anseo roinnt
agus an dubh a neartú ansin; bruach drochmheasúil in
airde a thabhairt don bhéal uachtair, gan fánán na cluaise
deise a bheith chomh géar. Ach ní dhearna mé na rudaí seo
ar fad de dhurta dharta. D'éirínn gach re scríob agus sheas-
ainn amach ó mo shaothar go scrúdainn é mar is dual
d'fhíorcheardaí—go scrúdainn an slua freisin—agus ar mo
chromada arís liom go dtugainn scríob mhear eile dó . . .
Ní raibh críoch amach agus amach agam ar a raibh mé a
dhéanamh ach dhírigh mé suas, mar ba é mo bhuac é—
amhail is é buac gach airtist é—go raibh mo shaothar ag
saighdeadh an tslua le snáimhe agus sochma a thabhairt
ar challóid agus éiginnteacht intinne. Bhí sáraíocht dhíbir-
ceach ar siúl faoin bpictiúr; arbh é Mussolini é, Charles
Laughton, Fluther, Easpag Thulaigh an Daimh, Alfie
Byrne, nó 'Love, Joy and Peace'? Níor airigh mé riamh go
bhfuair mé sá de rud eicínt géar idir dhá easna, agus ar
iontú tharam dom faoi ionadh, ghreamaigh dhá shúil
fhrancaithe, ceannaghaidh coipthe, croiméal scáinte
colgach agus maide láimhe bagarthach do bhall na háite
mé. Mo mháistir . . . Níor dhúirt sé a dhath ach ar dhúirt
a dhreach agus leagan a shúl. Ach thug mé faoi deara gur

bhuail sé faoi thriúr sula raibh sé ag ceann an droichid . . .

Sin rud nár chuimhnigh mo chroí riamh air . . . Gheobh-ainn garbh é mura dtugtaí bóthar ar fad dom. B'in é ba dhóigh de. Croí ná misneach níor fhan agam . . .

Maidin lá arna mhárach bhí sé istigh uair ní ba thúisce ná ab iondúil leis . . . Bhuel, dar . . . Crom, ní raibh sé sách maith agam a dhul ag tarraingt pictiúr ar pháipéar na hoifige, ar fhianaise Nualláin v. Nualláin, ar na páipéir nuachta a d'fhágadh sé ina dhiaidh ar an mbord, ar bhallaí an losáin, ar líonán a hata . . . go dtéinn, chomh maith céanna, á dtarraingt ar na sráideanna, ag náiriú an ghnólachta, ag cur droim díbeartha ar na cliantaí . . . Ar chuala duine a leithéid riamh? Cléireach dlíodóra ag líniú pictiúr ar leacacha na sráide . . . Agus a phictiúr féin— pictiúr rannpháirteoir sinsire an ghnólachta—freisin. Ní chreidfeadh sé ar tugadh de leabhair cheana agus a dtabhar-faí fós, sula mbeadh an Chúirt Uachtarach réidh le cros-chúis Nualláin v. Nualláin, nárbh é a phictiúr féin a bhí ann . . . An ghruaig chéanna, na súile céanna, an maide láimhe céanna—ainneoin gur chlaíomh a bhí ag Lonn Ó Dúill. Bhain sé de a chóta agus a hata agus thairg sé mo rúscadh timpeall na hoifige, agus síos an staighre, agus amach an tsráid, agus suas go dtí geata Theach na mBocht . . . Nó go mbeadh mo shrón à la Theophilus Moore— an tsrón cheannann chéanna a bhí ar Lonn Uasal Ó Dúill —go mbeadh sí ina leicíneach; go mbeadh sí díchurtha díláithrithe de réir an Achta; go mbeadh sí cuibhrithe go cóiriúil i gcúirt na ngnóbhristí . . .

Tar éis obainn a thabhairt faoi thrí ar an mbail inmholta sin a chur i gcrích, mhínigh sé anuas agus deir tú leis nár thug deich scillinge d'ardú sa tseachtain dom . . . agus gheall deich scillinge eile i gceann bliana ach go bhfanfainn ón bpictiúracht sráide. Ar ghabháil mo bhuíochais leis, d'fhéach mé lena chur i dtuiscint dó nach raibh baint dá laghad ag an bpictiúr a chuir colg air leis-sean. Ach níor ghar é. 'Níl mé leathchéad bliain ag dul don dlí,' arsa seisean, 'le caint chomh cosnochta léi sin a shlogadh.' D'iontaigh sé ar a chois ón doras an athuair. 'Síneadh láimhe beag duit,' arsa seisean, ag seachadadh nóta puint ar mo ghlac, 'as ucht gur bhuamar an geábh is deireanaí de Nualláin v. Nualláin. Ól mo shláinte agus sláinte Bhean Uí Nualláin. Chuir an iarraidh sin ar gcáil i gcosa i dtaca ceart. Ní bheidh bean phósta in Éirinn feasta dá mbeidh rún cúirte in éadan a fir aici nach í an oifig seo a Mecca. Ná níl maighdean sa tír dá mbristear geallúint uirthi nach ag an scrín seo a fhágfas sí a cuid toirbheart móide. Measaim go bhfuil sruth agus gaoth linn agus gurb é Mac Thomáis agus a Ghnólacht áras comhréitigh na lánún agus na leannán díomách as seo amach . . . Agus ní call duit a theacht ar ais chun na hoifige tar éis lóin. Tabhair aer na cathrach duit féin . . . Ach má tá i ndán is go mbeidh aon phlé agat le do lá arís le pictiúracht sráide . . .'

Tharraing mé tuarastal coicíse. Thug mé aer na cathrach dom féin agus rinne mé lá croídhílis de. D'ith mé lón nár ghortach. D'ól mé sláintí . . . Sláinte Mhutt agus Jeff a bhí mé a ghlaoch an uair ab éigean dom a dhul amach ag leathuair tar éis a deich.

Thug mé taoscán liom i bpóca mo chorróige. Lig mé racht mionnaí mór i láthair sagairt nó cineál eicínt de phearsa eaglaise ag tuirlingt dom den bhus. Thairg mé dual na droinne a thabhairt do phóilí a bhí ar a dhualgas. Dúirt mé ceathrú de *Mháire Bhóidheach Airear Gael* ar an

tsráid os comhair an tí lóistín amuigh. Chuir mé barróg
ar bhean an tí agus mura mbeadh an chaoi ar mheabhraigh
mé di lá arna mhárach a fheabhas is a chruthaigh an gnó-
lacht i gcúis Nualláin v. Nualláin, agus an dea-chuimhne
a bhí aici féin air ó na páipéir . . . B'éigean dom lóistín a
athrú . . .

—Tá tú i do chodladh. I do chodladh i gcaitheamh an
achair. Agus buidéal eile oscailte agam ansin duit gan
bearnú fós . . .

—Níl. Gaotaireacht do bhéil féin atá sa mbuidéal sin,
ach ní léir duit é, tá tú chomh hóltach sin aici. Ní i mo
chodladh a bhí mé. Ar an dá luath is ar chuir mé an deoir
dheiridh de do chuid fíona i dtearmann mo phutóige
d'aistrigh mé abail mo chomhthaisí . . . Tá mo chluasa
lioctha ag an scéal sin . . . Scéal agus a thóin leis . . .
Seafóid . . .

—Seafóid . . . B'fhéidir . . . Ach, ó cuireadh Peadar
Ciosóg, níl mac an bhéil bheo agam le scéal rúin ná teann-
táis a ligean leis, ach leatsa amháin . . . A Sheáin Lonn Uí
Dhúill . . . Ardú ná rath, ná dea-mhéin mo mháistir, ná
cineáltas mo bhean tí ní dhealóidh uaitse mé . . . M'aon
searc, m'aon réalt eolais, m'aon fhoinse beatha, m'aon
bháire . . . Is tú mo chúl toraic i léan agus i séan. Ba tú
m'aon fhortacht agus an portán ar hob mo shlogtha i
dtroghan chúis Nualláin v. Nualláin an uair dheireanach.
Is tú amháin a thugas éisteacht do m'aonscéal, gach
tráthnóna chois na tine agus riocht diamhair dothuigthe
an rotha gintlíochta a shíorchasas gan fáth gan mhaith
gan chuspóir ar na cnapáin ghuail, ina síorchlaochlú ó
dhubh go geal, go dearg, go caorchré; nó go sceitheann

siad anuas sa deireadh ina spros lachna ar dhath na
créafóige slabhctha seisce os cionn béal uaighe trí lá tar
éis a dúinte . . . Agus i nduibheagán na hoíche i mo leaba,
agus gan de chuideachta agam ach smeacháil mo chroí
agus sméarsholas lampa sráide trí m'fhuinneog, braithim
do shúile ionam gan fhios ó chúl na gcuaillí, ón gcochall
ceo os cionn na cathrach, ó imigéin na reann nimhe . . .
Agus ciapann sin mé agus splancann sé ar thóir mé atá
ar a laghad údair agus ar a laghad críche le claochlú na
gcnapán guail ina spros luaithreamháin . . .

Bhí an máistir an-fhorbháilteach inniu. Tá gliondar
sofheisceana air faoin mbarr binne tráchta atá á fháil ag an
ngnólacht ó bhuamar croschúis Nualláin v. Nualláin in
Athghairm na Cúirte Uachtaraí. Ba fearadh ar an ngnólacht
Bean Uí Nualláin. Chaithfí tuilleadh seomraí a fháil agus
beirt chléireach nua. Ba mhór an babhta air gur imigh an
Súilleabhánach. Ar chuala mé luaidreán ar bith cá ndea-
chaigh sé? An áit dheireanach a bhfacthas é, in eardhamh
na gCúirteanna ag iarraidh Bean Uí Nualláin a bhréagadh
as a racht goil tar éis na croschúise . . . Chuirfeadh sé mise
ina áit agus gheobhainn ardú cúig déag eile sa tseachtain
as seo amach. Níor mhór dom a bheith dubhairdeallach
faoi mo chuid éadaigh, faoi mo chuid gruaige, faoi mo chuid
féasóige, faoi mo chuid fiacal, feasta, ó b'orm a bheadh
freastal do chliantaí agus a dtionlacan chun an tseomra
airisimh agus fios a ngnóthaí a fháil agus a seoladh isteach
chuig duine de na haturnaetha. Ba chuma ar mhodh faoi
mo chuid cainte, arae bhí fios mo labhartha agam an uair
a thogair mé é. Níor bhasctha dom i gcuí iompair ach
oiread. B'inmholta uaireanta, daile, clianta a fhágáil cupla

ala ag fuireacht. Mhéadódh sin a meas ar mhórgacht agus
ar dhiamhaireacht an ghnólachta. Ach cuí feistis . . .
B'in é an rud. Gan bhréag, gan mhagadh ar bith, ba é an
feisteas an fear chomh fada is a bhain an scéal le mo dhual-
gas nua. B'in é bua mhór an tSúilleabhánaigh. Dhéanfá
neamhaird chríochnaithe den fhear a bhí san éadach.
Cléireach tionlacain agus foragallaimh in oifig ghnólacht
dlí, agus go háirid gnólacht a fhaigheas mórchuid trácht
ó bhantracht dhíomách—'culaith éadaigh agus í ag caint.
Voilà ce qui vous convient,' arsa seisean, ag diúracadh an
mhaide láimhe go gasta, agus shac sé dhá shúil thollta
ionam—súile Lloyd George sna hirisí maisithe . . .

Níl daorbhasctha den cheird nua atá orm. Agus is beag
nach saothar lánaimsire é. Dá dtéadh scéal sa deich díobh
thar agallamh . . . Tagann siad ina mathshluaite—óg,
aosta, fionn, buí agus breac, saibhir, bunsaibhir, meath-
shaibhir, go fiú is an daibhir féin. Na teallaigh Nuallánacha
ar fad. Oilithrigh an aoibhnis. Baileabhaireanna an chórais.
Bréagáin na malairte. Cumhail chandáilte na cinniúna . . .
Agus is mise le mo shlaitín draíochta pinn agus le mo
shluasaid páir a dtolladóir uisce aoibhnis . . . A mbrócaeir
i mídhaonnacht seo an fhir leis an mnaoi . . . Na farraíocha
a thugas a gcuid fear fúthu le sceana, le rásúir, le tlúite, le
tuaite, le bróga sna heasnacha . . . Mídhílseacht a gcuid
céilí. Mar a thagas siad orthu gan aireachtáil leis na
cailíní aimsire. I dtithe ósta le mná míchlúitiúla. I bh*flat*-
anna le mná cumainn . . . Na litreacha a scríobhas na
leannáin chuig a chéile; agus mar a théas siad i bhfuarchúis
agus in annaimhe ó bhuac ghlórmhar na geallúna anuas
go dtí duibheagán dorcha na tréigseana i ndeireadh na cúise
. . . Agus an meacan a thagas iontu ag foilsiú a scéil dom . . .
Na deora éadálacha . . . Na rachtanna docheansaithe goil

a chuireas siad díobh ar mo ghualainn . . . Na barróga sin
an fhir bháite a bheireas siad orm as neart a nduifean croí
. . . Agus tugaim cead dóibh. Tugaim cluas dóibh—cluas
dá scéal ar fad—sula gcuirim chuig dlíodóir an agallaimh
iad. Nach é an cás céanna domsa é—feisteas nach cáilíocht
dó ach cupla sainseoraí cainte anois agus arís . . . Ach tar
éis dom an feisteas a bhaint anuas agus a fhilleadh go cóiriúil
go dtí maidin lá arna mhárach, goirim chugam m'anam-
chara Lonn Lámhéachtach Cáidhchroíoch Ó Dúill as
uaigneas na hoíche go dtí cúlráid mo theallaigh agus na
cnapáin ghuail ag síoɪchlaochlú ó dhubh go dearg . . . go
luaithreamhán.

Bean shuite dhéanta . . . ceathrúna storrúla, buille
fánánach . . . clár éadain, mailí agus súile múscaí . . . giodam
an tslaicht fhearga . . . goití dúshlánacha . . . Ní fhéadfadh
iomrall aithne baint di anois . . . mar bhí sin ionann is dhá
bhliain go leith agus ba mhór a d'athraigh mé ó shin. Níor
ghoil sí deoir ach bunrí géagach a chur faoi mo lár, amhail
is dá n-éiríodh sin di as dearmad, agus teannadh orm . . .
teannadh orm . . . Mura raibh príbhléid agus sóntacht agus
triollús sa mbean sin . . . Ach ba é an scéal aoneireaballach,
aonghnéitheach céanna é . . . Buac na geallúna . . . Téisclim
an phósta bliain go leith ó shin . . . An claochlú díomách
céanna ó theochrios samhrata an ghrá agus na móideanna
sollúnta go dtí mol téachta na tréigseana . . . Iar dtabhairt
an ghrá agus an ghill ar dhrabhlás agus ar mhídhílseacht,
mo Lonn Lámhéachtach Cáidhchroíoch Ó Dúill, dá
dtograínn é, bheadh sé le feiceáil agam sna Cúirteanna . . .
Ach cén gar—agus é fostaithe, taifithe agus uimhirchlár-
aithe agam cheana féin i gcomhaid Mhic Thomáis agus a

ghnólacht Teoranta, Sráid na Cille . . . Shlog an portán é féin agus mé féin faoi dheireadh agus faoi dheoidh. Rinneadh fear mar cách de. John Doyle—i streoillín síoraí na gcúiseanna loicgheallúna; i bpárlathas beannaithe Dhonnabháin v. Dúill—cúis ar dhóigh di, ina gné féin, cúiseanna Nualláin v. Nualláin a chrinnt i suim agus i bpoiblíocht . . .

Agus mise . . . Ardú eile, b'fhéidir . . . níl aon Súilleabhánach ann le greadadh leis an geábh seo . . . Ach má éiríonn leis an ngnólacht na cúig chéad atá sí a éileamh a fháil di . . . pósfaidh mé . . . Mairéad Ní Dhonnabháin.

An Bhearna Mhíl

CHAITH Nóra Liam Bhid oíche fearacht mar chaith sí an oíche aréir roimhe sin, ag réiteach tae do lucht na bainise. Ach anois bhí bánsoilse smúitiúil an lae tús Faoillte ag smúracht isteach sa bparlús leathbhánaithe, agus ó bhí an glantachán déanta tar éis an tae dheireanaigh, agus Nóra ar scor, thosaigh an coimhthíos ag spochadh léi arís. Coimhthíos leis an bpósadh, leis an malairt, leis an Achréidh strainséarach: an daol céanna nár scar léi an oíche údan, tá mí ó shin, ar tháinig a hathair abhaile ó Aonach na Gaillimhe agus a ndeachaigh sé ag inseacht dá máthair go cúlráideach 'go raibh ceithearnach Achréidh déanta amach aige do Nóra'. Níor chlaochlú ar bith ar an gcoimhthíos sin di a fear agus a chuid deirfiúracha a fheiceáil den chéad uair ar an gcleamhnas an tseachtain roimhe sin. Ar nós eochrasaí a chuibhreofaí i gcaológ chalcaithe mhúnlaigh i dtosach a scríbe, agus nach mbeadh i ndán di ligean a fháil choíchin ar áthanna glana síolraithe uachtar na habhann, a chuaigh Nóra faoi chuing an phósta i séipéal an Aird, ard-tráthnóna inné. Agus anois, ó nár shólás ar bith di tláthchaint a máthar, bladar póitiúil a hathar, sáimhe shochma a fir, ná sioscadh a cuid banchliamhaineacha a raibh an spleáchas ina orlaí trína gcuid láíochta, thug sí an chisteanach síos uirthi féin chuig an gcóisir chomharsan a tháinig ón Aird leis an mbainis.

Bhí scioból an damhsa taobh amuigh bánaithe le scaitheamh agus an chistineach anois plódaithe le daoine ar bhuail tost iad ar a theacht di i láthair. Ba gheall le céadfaí corpartha an toist na hanálacha séideánacha leanna, na dlaíóga deataigh tobac agus na mionphúireanna gainimh sprusaigh den urlár stroighne a tháthaigh le chéile ina gcuisne cheo, agus a rinne uirthi mar bheadh taise ann ag féachaint an mbainfeadh sé an chaint aisti a d'fhuasclódh pioraíocha a anama. An tráth sin de mhaidin bainise a bhí ann a bhféadfadh duine a dhul ag ullmhú scléipe agus fios aige nach bhfaigheadh sé fear a bhactha. Bhí an splanc imithe as na glórtha póitiúla agus an ghile as an ngáire. Dar le Nóra go mba le mífhonn a chuaigh an t-aos óg ag damhsa an phoirt, leisce deis a thabhairt do na lánúineacha pósta agus don 'tseanmhuintir' an tost a bhí ag gabháil binne ar an teach a thapú agus a rá go raibh sé in am scortha. Má ba iad aos óg an Aird féin iad a raibh fíor ragairne agus síoraíocht sclábhaíochta iontu, ní raibh duine acu anois nach raibh an oiread támáilteachta ina ghlór agus ina leagan súl is a bhí ina chuid cos. An t-aon duine sa teach a raibh a chosa ina dtine chreasa agus a ghrua ina splanc ghealáin fós ba é Beairtlín, buachaill aimsire a hathar, é.

Bhuail Nóra a ceann fúithi, agus lig sí aithinne den tine chreasa trína hintinn agus ga den ghealán trína hanam, nó go raibh sí neamhairdiúil ar an tost agus ar an gcoimhthíos. Chuimhnigh sí ar a liachtaí uair a ndearna sí suirí gan ghoimh leis agus í ag sciobadh creathnaigh uaidh sa samhradh, nó sa bhfómhar agus iad beirt ar leac na sráide ag briseadh na gcnónna a thugadh sé chuici ó Ghorán Leasa, nó oícheanta airneáin chois na tine tar éis don seanchúpla a dhul a chodladh agus ise ag fanacht go dtagadh a deartháir Pádraig ó chuairt. Ba mhinic cailíní óga an Aird a bhí ar an mbainis anocht á saighdeadh, ag samhailt Bheairtlín léi. Ach tar éis go mba anocht an t-aon oíche nach samhlódh ceachtar acu léi é, ba anocht an t-aon oíche nach gcuirfeadh sé a dhath mosáin uirthi. Nathaíocht Bheairtlín a bhaineadh an lionndubh dá gáire gach uile uair dá mbíodh a hathair agus a máthair ag tionscailt cleamhnais di. Cneasú thar ghoimh fós féin a bhí in aiféala Nóra de bharr a mhéad is a bhí cúl a cainte léi agus a laghad suime agus a bhí aici a dhul ag lochtú gnaithe Dé an lá údan ar dhúirt Beairtlín léi 'go raibh an sean-bhuachaill ag déanamh cleamhnais di arís, agus nach mbeadh comhaireamh na sop le fáil ag aon duine nach mbeadh ina cheannaí siopa nó ina bhoicín Achréidh.' Níor le holc do Bheairtlín as ucht ar dhúirt sé a fuair sí caidéis dá bhearna mhíl an lá sin. Ina leaba sin, is éard a bhí fúithi a rá 'go n-imeodh sí bog te leis ar áit na mbonn'. Ach ar theacht don chrú ar an tairne, níor dá chruth seang deilfe, ná dá shúile glasa spéiriúla, ná dá ghrua ar dheirge 'an mhéirín' a ghéill a súile, a croí ná a béal, ach don éalang cholúil bhroinne nár fhéach sé a chlúdú le croiméal féin. Mura mbeadh a mhinice agus a chuaigh ag a col ar a rún níor chailimhineog liath chaillte a bheadh i ngréasán a saoil óig inniu. Anois féin ba í an bhearna mhíl sin a chonaic sí ag déanamh chuici mar bheadh péist an dá shúil déag ann trí lochán glas mara; agus ainneoin ar lig Beairtlín amach dá mhosán go raibh 'an teach faoina mullóg féin ag muintir an Achréidh i gcaitheamh na hoíche lena gcuid "reel sets" ', níor fhéad sí cluas ar bith a thabhairt dó go rabhadar beirt ar lom an urláir ag damhsa 'plain set' an bhaile.

'Tá an chuingir ort faoi dheireadh,' arsa seisean, mar a bheadh fonn nathaíochta air tar éis an mhosáin.

'Dia á réiteach,' arsa Nóra. Daingníodh ina ceann den chéad uair rud nár fhéad cleamhnas, pósadh, ná an bhainis féin gus nuige seo a chur i dtuiscint di mar is ceart. 'Ná bíodh cumha ar bith ort. Is maith an mhalairt agat fuíoll na bhfuíoll agus do chomhairle féin anseo ar chlár an Achréidh thar is carracáin agus sclábhaíocht an Aird Bhig . . . ní áirím aireachas an tseanbhuachalla. Cuirfimid corrlastas creathnaí agus corrbhuidéal poitín aniar chugat, agus maingín chnónna sa bhfómhar.'

Scioch rud eicínt faoi chroí Nóra. Níor chuimhnigh sí go dtí sin nach raibh creathnach, cnónna ná poitín anseo.

'Chaith mé an oíche aréir fré chéile ag iarraidh thú a fheiceáil, a Bheairtlín, go n-abrófá *Doire an Fhéidh Chasla* dom, ach ní raibh amharc in áit ar bith ort trí na daoine. Déarfaidh tú é th'éis an damhsa . . . Déan . . . Is fada go gcloise mé arís é.'

Ach ní maith a bhí a sceadamán réitithe ag Beairtlín san am ar tháinig a mháthair agus deirfiúir a fir agus ar ardaigh siad siar sa bparlús arís í.

'Tá sé thar am baile againne,' arsa an mháthair. 'Sin é ina lá geal é agus Máirtín anseo ar neamhchodladh ó arú aréir. Tá sibhse sa mbaile, bail ó Dhia oraibh, ach féach an t-aistear atá romhainne.'

'Aon mhíle dhéag go Gaillimh,' arsa Máirtín Ó Riain, fear Nóra, de ghlór righin téachta ar chuir canúint Ghaeilge an Achréidh barr coimhthís ann. 'Cúig mhíle dhéag as sin siar, nach ea? Sin é a deireadh spailpín a bhí agam anseo, bliain, ón Aird.'

Ainneoin na mílte fada a lua agus an t-anbhá a bhí ann ag fáil cótaí agus seálta, níor lig Nóra lena hais go raibh a muintir agus a comharsana á fágáil. Níor lig sí sin lena hais gur tháinig gearrchailí an Aird chuici gur phóg siad í agus gur dhúirt siad léi 'gan aon chumha a bheith uirthi, go sciorrfaidís aniar ar cuairt corruair.' D'aithin Nóra gach uile ghlao dá raibh ó ógánaigh an Aird agus iad sna feiriglinnte ar na rothair siar bóthar na Gaillimhe, agus chuir sin tuilleadh coimhthís uirthi le muintir an Achréidh a bhí ag fágáil sláin aici i ngeamhsholas na maidine ceobránaí, agus na driúillíní fuaicht agus scátha ag snámh ina cuisleacha lena bhlasta is a bhí 'Mrs. Ryan' ar bharr a ghoib ag gach uile dhuine díobh. Na gluaisteáin a tháinig le cuid de mhuintir an Aird, bhí siad ag dordsantacht ar an mbóthar agus na haraí ag an stiúir ag séideadh na mbonnán. Ar nós mar rinne sí a liachtaí uair cheana i ndeireadh bainise agus í ag dul abhaile, chuir Nóra a cóta uirthi féin agus shiúil sí amach ar an mbóthar. Ba é Beairtlín an duine deireanach a coiglíodh isteach i gcúl an ghluaisteáin a bhí ag a muintir.

'Dia á réiteach, a Bheairtlín,' arsa sise. 'Coinnigh glac chreathnaí dom.'

Ainneoin an mheatha i raibh sí bhraith Nóra meacan sa gcaint a tháinig de bhrúisc amach trí inbhear na bearna míl, de bharr a dheasaithe lena bhéal agus a bhí beanna cába a chóta báistí ag Beairtlín.

'Ná bíodh faitíos ort. Tabharfaidh mé maingín chnónna agat freisin, sa bhfómhar.'

'Tá an cuimse cna sna creigeanna anseo,' arsa a fear lena gualainn.

D'fhan Nóra ina staic ag an ngeata ag breathnú i ndiaidh an ghluaisteáin nó gur bhailigh sé siar Airdín an Chrosbhóthair, ach níor lig sí uirthi féin gur chuala sí buille scoir a máthar ag cur aithne uirthi 'gan aon chumha a bheith uirthi, gur ghearr go bhfeiceadh sí arís iad.'

Cumha! An cumha an gruiféad dobhriste a choinníos an t-anam deorata ar ancaire i gCaladh an Dúchais? Ní cumha a bhí uirthi. Ag bocáil i mbarr toinne faoi thoiliúna

Dé a bhí sí, i ndiaidh téad ancaire a hanama a scor, agus gan an oiread is an t-aon sine lena dúchas a bheith fágtha ó d'imigh Beairtlín. I ndiaidh a cinn roimpi, ar nós na loinge den eolas, chuaigh sí go dtí Airdín an Chrosbhóthair. Ainneoin nach raibh Nóra riamh ní ba ghaire don cheantar seo ná Gaillimh, agus ainneoin go raibh sé ina oíche ó Ghaillimh aniar ar chóisir na bainise aréir, ní le hamharc a fháil ar an tír faoi gcuairt a tháinig sí go dtí círín an tortáin seo. Ní raibh de smaointe in intinn Nóra ach círín ar bith ba thúisce aici a ardú sula bplúchtaí í idir dhá thonn na hAimsire Caite agus na hAimsire Fáistiní. An pointe sin níorbh fheasach di an ar a deasóg nó ar a ciotóg a bhí Máirtín Ó Riain, ná níor chuir sí cronaí ar bith i gcois a phíopa ag guairdeall timpeall na n-airde; agus is é a ndearna na hainmeacha aisteacha anaithnide a bhí ag tionlacan chos an phíopa cur i gceann a coimhthís agus a bearráin. Ná níor airigh sí an Rianach ag imeacht uaithi ar ais don teach.

Bhí an ceo á chornadh féin suas agus na cornaí á mionú arís agus á bhfuadach amach ina strácaí liatha caillte go ciumhais na má leis an mbeochan gaoithe. Ar feadh a hamhairc ní fhaca sí ach páirceanna móra míne gan chloch gan charracán agus gan troigh dá gcuid fál nach raibh chomh díreach le dorú, cé is moite den áit a raibh na fálta báite ag fuarlach an turlaigh. Bhí doire coille anseo, garrán ansiúd agus corrgheadán creige síos amach uaithi, mar bheadh altanna an adhmaid trí chlár déile tar éis é a thuaradh agus a sciúradh. Ach ba é an áit a raibh sí ina seasamh an cnocán ab aeraí ar an achréidh méith marbh seo. Ní raibh na tithe ina gcaidhlíní anseo: b'facthas di go raibh an brionglán suaite deataí ba ghaire di míle ó láthair. Ba mhar a chéile na tithe ar fad. An déanamh céanna. Na háirgí céanna ina dtimpeall. Agus an fhoireann chéanna crann ag déanamh foscaidh do chlaíocha na n-iothlann. Níor thug Nóra de shamhail dóibh ach ollteach a scáinfeadh in imeacht na hoíche agus ndealódh a chuideanna chomh fada ó chéile is d'fhéad siad le teann doichill. Bhreathnaigh sí ar theach a fir. Níor neamhchosúil é ina dhreach agus ina dhéanamh le teach ceann slinne dhá stór a hathar, cé is moite go raibh gotha ní b'úire ar theach a hathar, go raibh an fharraige ina fhianaise, na maolchnoic ar a chúl, agus gan ann féin ach mar a shnoífí alt eibhir den tír charrach chreagánach i riocht is go mbeadh gallán suaitheantais eicínt i lár an chnuasaigh tithe ceann tuí a dtugtaí an Aird Bhig air. Ach ba é an méid sin an chuid ab fhánaí den idirdhealú. Bhí an dá theach thairis sin chomh neamh-chosúil le chéile is atá uisce agus bainne leamhnachta. Fearacht na tíre faoi gcuairt, bhí sotal sónta eicínt i ngotha a hárais nua a mheabhródh di an meangadh sámh a dhéanas ceannaí siopa ar fhéachaint ar a leabhar bainc. Is éard a bhí gotha an tí sin a iomardú lena béal nár fhás aon oíche é—ach cuid den Bhuaine féin. B'fheasach do Nóra go mba theach 'te' é. B'fheasach di mura mbeadh gurbh ea nach gcuirfeadh a hathair 'ann' í, tar éis a liachtaí boicín a d'eitigh sé fúithi, agus an spré a bhí aici. Chuaigh driog fuaicht tríthi ar chuimhniú di nach mbeadh inti feasta ach ball acara de bhaill acara an tí sin. Anseo ní raibh réim sléibhe agus farraige mar bhuairín ar an gcois luaithneach ná mar dhaoradh reatha d'aisling na hintinne fálróidí. Ní raibh ann ach an clár mín aonghnéitheach le tnúthán agus tréathra éagsúla daoine a shlogadh agus a dheilbhiú in aon uige fhuar aon snáithe, mar dheilbhíos an fharraige gach uile bhraon uisce riamh ar a haon ghné ghlas dhiamhair féin, bíodh sé ar a rogha dath nó dúchas sula mbeireann a broinn air. Arís choíchin dá laghad caidreamh dar dhóigh di a bheith aici leis 'an mbaile', ní bheadh inti sa gcaidreamh sin féin ach snáithín caol den uige dhlúth seo.

Bhí fuacht nárbh fhíorfhuacht—macasamhail láíochta a cuid deirfiúr céile—sa maidin, agus chuaigh sí isteach. Mhothaigh sí nach raibh dada dá thais ag an áit istigh. Tar éis an phléaráca ar fad ní raibh an chisteanach sách mór as a riocht le go bhféadfaí a rá go raibh sí 'tíriúil', ní áirím 'gaelach'. Ba mhinic cisteanach a dtí féin sa mbaile ina cíor thuathail i bhfad ní ba mheasa i ndiaidh cupla uair de dhamhsa airneáin. Cé is moite den dá bhord a bhí as fad a chéile fós sa bparlús, d'fhág an lucht freastail sular imigh siad gach uile shórt ar a chóir féin, gan bun cleite amach ná barr cleite isteach a mheabhródh go ndeachaigh eang sa ngabhail, agus gur snaidhmeadh dhá anam le cuing spioradálta is colannda an aontís agus an chéileachais i riocht is go mbuanófaí foinse beatha an tí. Na cúrsaí ba mhó a bhain le cinniúint an duine, ní raibh iontu ach sciot ar uisce méaróige ar dhromchla sámh mór na tíre seo.

Shuigh sí síos agus thug súil thart faoin gcisteanach, rud nach bhfuair sí ionú a dhéanamh ó tháinig sí don teach. Bhí séala daingean an Tíobhais—bean choimhdeachta na Buaine—ar gach uile mhíle ball, ó na sáspain ghlana sciúrtha go dtí an dá 'phress' mhóra a raibh finne fómhair ina gcuid adhmaid. Níor dhóigh beirthe é ná go gcuimhneodh sí ar an bhfoireann a chuirtí sna hárais anlacain agus nach ndéantaí a gcorraí ná a gcaitheamh nó go rodaíodh an aimsir iad; ach, ó nach raibh eolas ar bith ag Nóra ar sheandálaíocht, ag cuimhniú a bhí sí cén chaoi ar fhéad an Rianach, agus é taobh leis féin, a theach a choinneáil chomh piocúil ornáilte agus a bhí sé. Ní raibh uireasa lámh mná

ar an teach seo! Ach an rud ba choimhthí ar fad le Nóra
gan teallach gan tine a fheiceáil, ach an sornán dalba
doicheallach a raibh an dé tar éis múchadh in áit eicínt
istigh ina bhroinn.

'Cá'il an mhóin, ní mé?' arsa sise léi féin ag éirí, arae
le hoighear an choimhthís a chlaochlú chun scaláin an
teanntáis níor mhór léi cladach tine a chur síos a dhéanfadh
caor dhearg de chruach an tsornáin agus a chruthódh di
go mba chumasaí tine agus teas ná an t-iarann fuar
daingean.

'Gual ar fad a bhíonns agamsa,' arsa a fear. 'Nach
mb'fhearr duit gan bacadh le tine ach spuaic a bhaint
amach ar an leaba.'

Scanraigh sí. Níor chuimhnigh sí amháin ar an leaba go
dtí sin. D'airigh sí ugach teanntáis an ghlóir mheathchod-
lataigh sin ag cur rabharta coil faoin gcuisle aici, ach thuig
sí go raibh an glór ró-údarásach lena shéanadh dá mb'áil
leis an scéal a chur go spriog.

'Níl aon chodladh orm,' arsa sise, faoi dheireadh agus
faoi dheoidh, ach bhí a fear imithe amach i gcoinne an
ghuail. Ba ghearr go raibh sé ar ais arís agus gur theilg sé
sluaisteog de isteach i gcab an tsornáin. Chuir na sáití den
phócar a bhí sé a thabhairt do ghríosach na tine núis ar
Nóra. Ba gheall le hanam a bheadh ar mheá an chathaithe
ag an diabhal agus é ar a mhine ghéire ag féachaint le é
féin a shlánú, coscairt dhriopásach na gríosaí ag iarraidh
lasta. Thabharfadh Nóra Éire anois dá mbeadh athair
céile, máthair chéile, duine de dheirfiúracha béalráiteacha
a céile, nó balbhán féin chois an teallaigh. Bhí deatach
phíopa an Rianaigh ag gluaiseacht go dtí an t-áiléar ina
phúir chuimseartha gan mhairg gan mhúisiam. Strácaí
catacha coilgneacha a sílfí orthu go raibh siad ag coraíocht

le rud eicínt san aer a dhéanadh gaileanna Bheairtle agus a
hathar. Ní raibh aon riasc fiáin—aon cheo de choirce scéin
a ceantair féin—i gcaint a fir. Ba ar a chruachúis dó a
bheith chomh cruinn barainneach murach go mba chlár
mín gan ísleán gan ardán a intinn fré chéile . . . Ón gcorr-
gheábh grinn a rinne sé, agus ón meangadh a mhaíodh i
lúibinn rite a shróine lena linn sin, mheabhraigh sé do
Nóra Dia na Críonnachta ag iarraidh a dhul uairín le haer
an tsaoil. De réir mar a bhí sí ag taithiú le leagan logánta
na cainte, b'amhlaidh ba mhó a bhí a brí ag dul chun
coimhthís di. Thit an driull ar an dreall uirthi. B'fhada léi
go dtagadh clanna eicínt nach mbeadh d'aon uige: malairt
duine, malairt lae, malairt aimsire, an oíche arís, nó dodaí
ina ghlór, i leaba an doird mhairbh sháimh nach ndearna
thar thoilliúint ina cluais anois.

D'éirigh sí agus chuaigh sí amach i mbéal an dorais ar an
bhfionnuartas. Ainneoin nach raibh siad ach tar éis cead
scoir a fháil, ba bheag an súnás a bhí ar na páineanna cearc
ach ag scríobadh leo sna láithreacha bláth ar gach aon
ghiall den chis stroighne taobh istigh de chéimeanna
gheaitín an bhóthair. An corrbhláth a bhí tar éis goineachan
trí thalamh, taltaíodh aréir é. Ba dhiacht di gan lorg coise
Bheairtlín a aithneachtáil agus a liachtaí uair ar chronaigh
sí cheana í ar mhóin, ar ithir agus ar ghaineamh. Ag
grinneadh chumraíocht na bróige a bhí sí san am ar tháinig
fear tromchosach faoina hata bog tuataigh agus a bhríste
'cord' thart an bóthar. Bhí cuimhne ag Nóra go mba
chomharsa áirid dá fear é, i ngeall go bhfaca sí comaoin ar
leith á cur air sa bparlús aréir. Gan claochlú ar a choiscéim
agus gan a cheann a shníomh thar dhubh na fríde chuici,
bheannaigh sé di chomh drogallach beagfhoclach is dá mba
phingin sa gcíos gach uile shiolla den chaint. Bhí an ceo ina

chochall broghach anuas faoi dhroim an chláir an athuair, agus gan tríd ach corrdhing de léargas. Ach mar sin féin níor mhóide do Nóra a dhul isteach chomh tobann, murach an taghd a bhuail í leis an gcearc otraithe a raibh cumraíocht na coise scríobtha lena crág mhístuama aici den chréafóg bhog shodhealfa . . .

Shuigh Nóra ar an gcaothaoir chéanna arís chois an tsornáin. De bharr teas na tine agus an tuirse bhí a fear ina shrann chodlata—srann mharbh thomhaiste, gan mhúisiam gan mhairg, mar bhréidín lách farraige loime le duirling ar théigle shamhraidh. Den chéad uair chuaigh sí ar ghrinndearcadh a fir, fearacht is dá mbeadh sí á fhágáil go deireadh mar bhall suarach dá saol nua. Fear géagánach corrghuailleach. Séala na gcéadta bliain de ghrian, de dhoineann, d'ithir agus de chrácamas ar an gcolainn urrúnta, ar an muineál féitheach agus ar an gceannaghaidh garbh bláthbhuí. Gruaig dhubh a raibh ciumhaiseog liathachain mar fhíor an nirt léi. Súile marbha malla nach ndearna Nóra faoilte an gháire, lasadh na feirge ná boige seirce a shamhailt leo. Polláirí fonsacha séidte nach bhféadfadh a bheith an-éisealach faoi bholadh. Croiméal cróndubh a bhfacthas di ón gcupla smearamharc a thug sí uirthi cheana gur ghéar a theastaigh a díogáil uaithi. Agus go háirid ó thug sí faoi deara go barainneach anois nach raibh na dosáin thiubha róine ag clúdú aon bhearna mhíl . . .

An Bóthar go dtí an Ghealchathair

DHÚISIGH glao an choiligh Bríd. D'iontaigh sí ar an taobh eile tar éis méanfach a ligean. Bhain sí searradh aisti féin agus dheasaigh sí a cloigeann isteach ar an gceannadhairt an athuair. Ach bhí a fear ina dhúiseacht, freisin, agus bhrúigh sé í.

'Tá trí eadra glaoite ag an gcoileach,' arsa seisean. 'B'fhearr duit éirí.'

Bhí leisce uirthi scaradh leis na pluideanna boga teolaí, ach, tar éis cupla searradh eile a bhaint aisti féin agus na sramaí a chuimilt dá súile, d'éirigh sí de léim. Bhí a cóta nua cabhlach uirthi, an choinneal lasta aici agus í ag cartadh amach na coigilte san am ar tháinig a fear aniar ar an teallach.

'Breá ar bhac tú le héirí,' a deir sise. 'Bheifeá luath goleor.'

Níor fhreagair sé chor ar bith í faoi láthair, ach a dhul ag sméaracht ar an drisiúr.

'Nach ciotach an mhaise dhom é?' arsa seisean, ag tógáil an chloigín agus ag baint croitheadh as faoina chluais. 'Ní raibh ag gabháil fúm ná tharam ach é a *wind*eáil, ach chuaigh mé a chodladh ina dhiaidh sin gan cuimhneachtáil air. Stop sé ag deich nóiméad th'éis a dó.'

'Tuilleadh gligoir aige! Tá sé a ceathair anois.'

'Má tá sé taobh leis.'

'Ní foláir dom a bheith ag imeacht ar an dá luath is a mbeidh mé réitithe.'

'Bheifeá luath go leor ag a cúig le cheithre huaire a thabhairt duit féin. Sciorrfaidh mé síos tigh Thomáis agus mura bhfuil Taimín 'na shuí dúiseoidh mé é. Is mór an chuideachta duit é, tharla nach bhfuil Peige Shéamais ná bean ar bith eile ar an mbaile ag 'ul don Ghealchathair.'

'Dheamhan is móide cos Taimín a chorródh go ceann dá uair fós, tharla cuisliméara aige l'aghaidh na móna. Beidh mé abhaile aige mura . . .'

'Mura bhfaighe tú a mhalrait.'

'Séard a bhí mé ag 'ul a rá,' arsa Bríd de ghlór a raibh an oiread callóide ann le glór a fir, 'mura mbeadh i ndán's go mbeinn réidh faoi chomhair a thíocht abhaile roimhe agus go n-éireodh aon charr eile liom.'

'Carr as an gCurraigh. Shílfeá gur mil atá ar mhuintir na Curraí agat.'

'Is fearr an aithne atá fós agam orthu ná ar mhuintir an bhaile seo,' arsa Bríd go soineanta. 'Níl mé chúig bliana fós ar an mbaile seo.'

Tháinig aiféala ar an bhfear faoin ngob sin féin a thabhairt di.

'Is sraimlí an t-aistear é don Ghealchathair 'scáth a thairbhe.'

'Sé'n faitíos atá orm nach mbeidh an oiread sin féin tairbhe air feasta. Stop trí cinn de na cearca an tseachtain seo, th'éis mo chuid giollaíochta, agus is gearr nach mbeidh díol an tae féin ag an mbó bhuí. Ní bheidh cion maistre agam arís go ceann seachtaine, tá faitíos orm. Gabhfaidh sé rite liom slí ar bith a bheith agam coicís ó inniu féin.'

'Ní miste duit scíth 'fháil,' a deir an fear, ar nós mar bheadh carghas air an t-adhmad a bhí le baint as a cuid cainte a chur i bhfad scéil. 'Tá tú reichte ag dul don Ghealchathair chuile Shatharn i mbéal a chéile. Is céasta an t-aistear é, nuair nach bhféadfá jaunt a thógáil mar Mháire Sheáinín.'

'Tá sé sách céasta, ach níl aon chlóic orm fós,' arsa sise go sleamchúiseach. Bhí trua ag a fear di, ach ní mó ná gur thaitnigh a cuid cainte leis ina dhiaidh sin. Bean luath láidir nach raibh thar dheich mbliana fichead fós! Ní mar sin a labhraíodh na mná a tháinig roimpi. Ba mhaith an chiall ag a mháthair féin é a théadh isteach le hancard bainne don bhaile mhór dhá cheann de lá san am a raibh sí ina cailín ag Liam Chathail, agus nach mbíodh aon charr aici le marcaíocht a thabhairt di abhaile. Nó a sheanmháthair, a mbíodh céad mine ar a droim aici as an nGealchathair roimh eadra agus gan a ligean faoi ach dhá scíth. Ní raibh ar mhná an tsaoil seo ach aistear uisce a thabhairt ón tobar agus bhídís craiplithe le scoilteacha lá arna mhárach.

'Tá liom má choinníonn bean Bhóithrín an Léana uaim,' arsa sise, ag áitiú uirthi arís gan aon chronaí a chur annsan ná ina chuid toist. 'Murach sin ní bheadh a leathoiread deabha orm—ag iarraidh uain a bheith agam ar chuile dhuine eile. Choiscfeadh sé aistear 'na mhargaidh dom, agus bheinn sa mbaile ard-tráthnóna.'

'Ná bíodh imní 'bith abhaile ort go mbeidh breith mhaith agat air. Bainfidh mise ceart den teach.'

'Mar bhain tú an Satharn seo caite—go mbeadh na páistí bruite dóite ag an gciteal murach gur éirigh le Neil Shéamais a theacht faoin doras. Fainic an gcorrófá ón teach inniu ar chraiceann do chluas, nó go dtaga Neil. Dúirt sí go mbeadh sí aníos taca a deich agus nach mbeadh aon chruóg abhaile uirthi go dtí th'éis am dinnéir. Caithfidh mé bronntanas eicínt a cheannach di faoi Nollaig má chasann Dia na pingneacha agam chor ar bith. Nach bhfuil scoilb le biorú agat? Ná bac le dada eile. Ná fág aon phota ar forbhás in áit ar bith fud an tí. Agus má bhíonn

Citín ag caoineadh tabhair braon bainne chnagbhruite di
sa mbuidéal.'

'Tabharfad,' arsa an fear go tur.

'Agus cuir síos an loine tigh Pheadair le Neile. Seachain
nach gcuimhneofá air. Beidh sí féin ag déanamh bainne
inniu. Agus athraigh an lao as an nGarraí Gleannach go
dtí an Barr Thuas. Ach, ar a bhfaca tú riamh, fainic an
imeofá ón teach, dá mbeadh na seacht sraith ar an iomaire,
gan duine a fhágáil i gcionn na bpáistí.'

'Ní imeoidh,' arsa a fear, agus roinnt mosáin ina ghlór.

'Agus ní mór dom mé féin a réiteach ar an toirt,' arsa
sise, ag slogadh an bholgaim dheiridh den tae.

'Seachain nach dtabharfá lón leat.'

'Dheamhan call a bheadh dom leis, dá gcoinníodh bean
Bhóithrín an Léana uaim. Thug sí isteach 'na cisteanaí mé
seachtain is an lá inniu gur thug sí cupán tae dom. Tae
breá. É chomh buí le hór. Bean an-ghnaíúil í, agus ní
raibh sáraíocht ar bith aici liom mar bheadh ag cuid eile.
Sergeant pílears é a fear. As Longford í.'

'Leag mé cruib mhóna i dteach peeler ar an mbóthar sin
sular dhíol mé an capall. Bhí sí ag strócadh liom a dhul ag
ól tae, ach ní dheachas. Ní raibh mo dhóthain Béarla agam
faoina comhair.'

'Bean bhánghnéitheach agus gan mórán airde inti—ab
ea?'

'Deamhan a fhios sin agam anois. Tá sé ag 'ul 'un
cheithre bliana.'

Shlog an fear an taoscán tae agus chuaigh sé amach ar
an tsráid.

'Tá os cionn uaire gealaí fós ann,' a deir sé ar a theacht
isteach dó. 'Aithním ar an Streoillín nach bhfuil sé dada
leis a ceathair a chlog. Sílim go ndéanfaidh sí maidin

bhreá, ainneoin go bhfuil an-duifean sa spéir. Níl solas in aon áit. Is cosúil nach bhfuil duine 'bith ag 'ul don Ghealchathair.'

'Níl ach fear móna. Tá a slí ar fad sportha. Nach bhfuil a fhios agat gurb é Seascach na gCearc é?'

'Tiocfaidh mé go ceann an bhóthair leat, nó chomh fada le Taimín Thomáis féin go ndúisí mé é.'

'Is maith luath atá fonn amach ort. An fágáil an tí a dhéanfá agus gan a fhios agat—i bhfad uainn an anachain —céard d'éireodh do na páistí?'

'Tá siad ag srannadh. Ní bheidh mé dhá mheandar amuigh.'

'Siar leat a chodladh go ceann trí huaire fós. Ní bheidh clóic ar bith ormsa.'

Chuaigh sí siar sa seomra. Bhí an dá pháiste ar an leaba bheag agus iad ag srannadh go sámh. Dá bhrí sin níor chuir an mháthair d'araoid orthu ach braon uisce choisricthe a chroitheadh timpeall na leapa agus an Chroch Chéasta a chur uirthi féin leis.

D'ardaigh sí iris an chléibhín ime a bhí faoi réir aici ó aréir aniar faoina muineál. Dheasaigh an fear a seál siar thar bhéal an chléibhín agus amach léi an doras. Cosán aistreánach smutaithe a bhí ag dul amach ón teach go dtí bóithrín an bhaile. Bhí an t-uisce ag plobaíl faoina boinn agus a cos chlé taisfhliuch ina bróg sular tháinig sí go dtí an bóithrín tacúil a bhí inseolta ag cairt. Ní raibh solas i dteach ar bith ar an mbaile, rud a chuir iontas ar Bhríd, arae shíl sí leis an sinneán cothrom gaoithe aneas a bhí ann go mbeadh daoine ina suí le dhul ag 'sciobadh' feamainne deirge faoi chladaigh. Ní raibh aon solas ag Máire Sheáinín ach an oiread, ach bheadh sí sin sách luath ina suí faoi cheann cupla uair fós, ó d'fhéad sí 'jaunt' a thógáil.

Ainneoin a liachtaí uair agus a chuaigh Bríd an bóithrín sin cheana i ndeireadh oíche, ar an ócáid chéanna, ní raibh sí riamh gan aistiúlacht á bualadh leis an mbaile agus é ina shuan mar sin. Ach ní raibh an bruscán teach sin baol ar chomh dona oíche dhorcha nó oíche dhubh. Anocht bhí tamhnacha gealaí gile idir na tithe agus na croithe, agus streoillí scáfara scáile ó na beanna amach. Bhí na gaetha gealaí bioraithe ar ghrán na ngruán eibhir agus loinnir fhuar gháifeach astu ar nós súile nathrach a bheadh ag déanamh forais. Agus an ghileacht cháidh a bheadh ann murach go raibh uabhar na gealaí á cur as a riocht, ba gheall í le ciméara a chuirfeadh an slua sí agus iad ar tí bánú gan fhios, teacht ghairm na gcoileach.

Mada tigh Thomáis an t-aon bhéal beo a bhí anois ar an mbaile sin a bheadh ar bís le broid agus gleo faoi cheann trí nó ceathair d'uaireanta an chloig. Ní raibh de shamhail aige ach Bolscaire an Dúlra ag fógairt de bhéarla dothuigthe go raibh a chodhnach agus céile a chodhnaigh—an oíche—ina dtoirchim suain fós agus gan iad a dhúiseacht. I ndeibhil na gaoithe bhain a allagar tafainn tormán as na tithe agus as na garranta. Chuaigh sé d'abhóg siar sna breaclacha, as sin suas ar chaoráin charracha bharr an bhaile. Go ndeachaigh a mhacalla d'eiltreog righin ó aill go haill ansin, gur shín clochar chuig clochar eile é—agus faoi dheireadh agus faoi dheoidh gur éag sé de shrannán fuasaoideach ar na riasca loma suas amach. Bhí cuisle scáile trasna an bhóithrín as béal teach cairr Thomáis. Claonfhéachaint dár thug Bríd chonaic sí an dá ghabhlóg faoi leathlaidheacha an chairr mhóna, ach ní raibh dé ná deatach as an teach fós. Níor bhaol uirthi dearmad a bheith déanta aici fós ar stuaic a fir faoi nach bhfuireodh sí le Taimín Thomáis. I gceann a bheith ina chomharsa dó

ba é Taimín Thomáis col cúigear a fir. Dá gcaitheadh sí a
teanga leis ní thoillfeadh sé i gceann a fir ina dhiaidh sin
nach le móiréis a sheachnaíodh sí Taimín agus a thapaíodh
sí a bheith abhaile i ndáil le gach uile Shatharn le carr
eicínt as an gCurraigh—a baile féin—a bhí cúig mhíle siar
ar an taobh eile den pharóiste. Ach b'in í an mhóiréis eile.
Tar éis go raibh sí cúig bliana pósta anois, ba éanacha
cuideáin di gach is a raibh ar an mbaile fós. Ní raibh sí
déanta orthu ceart. Ní móide go mbeadh sí déanta orthu
go brách. Ní móide go raibh sé de bhuannaíocht aici
déanamh ar dhaoine. Ach pé acu sin é, ní raibh tnúthán ar
bith aici le comhluadar Taimín Thomáis. Bhí sé ar a
cleamhnas. Ba mhaith ba chuimhneach léi fós féin an
lasadh a tháinig ina shúile agus greim barr láimhe aige
uirthi ag ól a sláinte. Ní raibh acmhainn riamh ó shin ar a
leagan súl aici. B'facthas di i gcónaí go raibh dhá thoinn ar
a shúil. Scamall luaithe amuigh agus sornóg fheirge, chraois
agus chaimiléireachta istigh. Chinnfeadh uirthi comhrá a
choinneáil le Taimín Thomáis gan a bheith ag síor-
shamhailt di féin go raibh aithinní na sornóige sin dá
síorchuartú. Ba dheacair di é a thuiscint í féin. Ach b'fheas-
ach di go mbíodh na súile sin mar theas an aithinne ar a
craiceann mar sin féin.

Ar a theacht amach as bóithrín an bhaile ar bhóthar an
rí di d'éist sí ar feadh ala. Ní raibh torann cairr ná cos le
cloisteáil in áit ar bith. Cheap sí go raibh sé buille moch.
Murach go raibh bheadh duine eicínt ag corraí. Ach níor
mhiste di a bheith ag baint coiscéime as ina dhiaidh sin.
Bhí naoi míle Éireannacha roimpi don Ghealchathair,
agus b'fhearr ann in am ná in antráth.

Bhí an ghealach maolaithe siar os cionn na nInsí agus
trilseáin uaithi a bhí buailte leis na milliúin monóg airgid

bheo i gcois dá leith ar an gcuan mar bheidís ina ndroichead
don slua sí go Beag-Árainn. Ach ainneoin a ghreadhnaí is a
bhí an ghealach, ba mhó an gotha a bhí uirthi gur ag
déanamh leanna in uaigneas na spéire a bhí sí agus go
raibh a cuid seod ar fad go feiceálach, i riocht is go mba
shuntasaí a cuid birt bhróin. B'fhada le Bríd go mbeadh sí
faoi. B'fhearr léi go mór an dorchadas a bheith ina chochall
ina timpeall. Ba mhó an teanntás a bheadh aici ar an dor-
chadas. B'fhusa do dhuine le solas na gealaí ná le solas an
lae féin dearmad a dhéanamh ar an uige shuthain dar di
é agus é féin a shamhlú leis an domhan damhnúil duthain
faoi gcuairt. Ba mhó ab aite le Bríd an dorchadas, i riocht
is go mbeadh deis ag a hintinn brú amach ar an saol i
leaba do ghile agus do réim an amhairc a bheith ag brú
cruaichte an tsaoil isteach ar a smaointe. B'annamh di ionú
a fháil lena smaointe a dhéanamh de bharr cruóige, cantal
clainne agus comhluadair. Ina cheann sin bhí loiceadh aici
ón aistear inniu, ach ó bhí sé roimpi b'fhearr léi bualadh
faoi de réir a coise féin ná de réir coise duine eicínt eile.
Rud nach bhfuair sí óna claonta a inseacht riamh dá fear,
ní raibh sí chomh hurrúnta ná baol air ó bhí an páiste
marbh aici go deireanach; agus ghoilleadh an tsiúlóid
fhada uirthi go mór le gairid. Agus dá mbeadh sí aisti féin
ag tarraingt isteach ar an nGealchathair níor dhóide
beirthe é nó thógfadh 'jaunt' eicínt aitheantais í agus
choiscfeadh sé dhó nó thrí de na mílte ba mheasa dá
haistear di.

Chuimhnigh sí dá mbeadh sí soir chuig Coill na Maoile,
nó ag tarraingt air, sula dtosaíodh na 'jauntanna' á
scoitheadh, go mbeadh seans maith aici marcaíocht in
aisce a fháil an chuid eile den bhealach, arae bheadh lucht
na 'jauntanna' a ghaireacht sin don bhaile mór is go mbeadh

a súil bainte acu dá thuilleadh tráchta. Ach ba ar éigin a thógfadh 'jaunt' ar bith beirt, agus dá dtógadh sé duine de bheirt—rud nár dhóigh—níor mhóide gurbh ise an duine sin. Agus dá mba i ndán is go dtógfaí a céile siúil bhí faitíos uirthi go mba dhona a rachadh sé di, a dhul i bhfoisceacht 'mbeannaí Dia' mar sin do mharcaíocht. Bhíodh sí buailte suas i gcónaí anois míle nó dhó ní b'fhaide ó cheann scríbe ná cheana.

Nárbh aoibhinn do na mná a raibh na pingneacha beaga acu, le cupla scilling a chaitheamh chuig 'jaunt'. B'in í Máire Sheáinín agus 'jaunt' fúithi síos agus aníos gach uile Shatharn dá n-éiríodh uirthi. Ach níor chomórtas ar bith dise Máire Sheáinín a bhí ag cruachadh airgid ó tháinig an cogadh, agus ina cheann sin a bhí ag fáil lán laidhre as Meiriceá d'acht agus d'áirid. Chuaigh sí go bun an angair le gach uile leathphingin Dé Sathairn seo caite go leagadh sí scilling thairsti le 'jaunt' a thógáil leath bealaigh inniu. Ach chuaigh an scilling sin freisin san áit a ndeachaigh na scillingeacha eile fré chéile ar feadh na seachtaine—i scipéad an tsiopa.

Ach mura raibh lom dearg an mhí-ádha ar fad uirthi d'éireodh marcaíocht léi as deireadh an aistir. Thógfadh Máirtín Mór, a comharsa féin, í. Ní bhíodh aige ach an triúr céanna i gcónaí. Nár thóg sé í Satharn na Samhna? Nó Seán Choilm. Dá mbeadh ceathrar aige, daile, ní mórán fonn a bheadh air a dhul ag cur duine ar an gcrannóg. Bhíodh sé i gcónaí ag mungailt nár mhaith leis 'an capall a chur thar a fulaingt.' Ach ní fhágfadh Peaid Neachtain ar an mbóthar í ar aon chor. Thagadh sé ag imirt chártaí ó tháinig an t-airneán. Cóil Liam an fear ab fhearr a bhí faoina mharcaíocht ar bóthar. Ní raibh aon tnúthán aici le Mike an tSiopa. Ba mhaith an rud dó

airleacan a thabhairt di agus gan a bheith ag súil le mar-
caíocht air. Cinnte go leor, ní bhíodh aige go hiondúil ach
é féin agus bean an dearthár, cé is moite dá dtógadh sé faoi
bhealach. Ach ní thógadh sé ach dea-dhíolaí, sin nó duine
a raibh sé ag tnúthán lena chuid tráchta a thabhairt ón
siopa eile chuige féin. Agus scoitheadh Micil Pheige í i
gcónaí. Ba ghnaíúil faoina mharcaíocht é scaitheamh.
Dheamhan ní ba ghnaíúla. Ach bhí daol eicínt air le gairid.
Bhí sé spréachta faoi dhream a dtugadh sé Sinn Feiners
orthu, agus duine ar bith nach raibh ina Shinn Feiner bhí
sé réidh le marcaíocht. Is minic a bhí Bríd ag iarraidh a
dhéanamh amach cén sórt dreama iad na Sinn Feiners
seo. Bhí Pádraig Thomáis Thaidhg iontu agus tógadh an
bhliain roimhe sin é, an uair a bhí troid eicínt i mBaile
Átha Cliath agus ar an Achréidh. Ach thug 'an tIarla'
amach arís é, tar éis go raibh bollaireacht mhór ag na
Sinn Feiners a bheith ina aghaidh. Ach bhí 'an tIarla' in
ann duine a thabhairt ón gcroch. Deirtí go mbídís ag
druileáil le camáin faoi shléibhte de shiúl oíche agus go
raibh siad bog te le cogadh a chur ar Shasana. Bhí cruinniú
acu i mBaile an Draighin le gairid agus bhí siad féin agus
sagart na háite sin in árach a chéile. Ach níor bhain cúrsaí
den tsórt sin do dhaoine dona. Cén tuiscint a gheobhaidís
iontu? Chaithfeadh an duine bocht fuirseadh leis i
gcónaí.

Chuaigh Bríd tríd an sráidbhaile. Cé go raibh solas i
gceann nó dhó de na tithe ósta ní raibh deoraí le feiceáil, cé
is moite de bheirt phóilíos a raibh a ndroim le doras Yard
Gheraghty, agus gan cor ná car iontu. Ag faire ar charranna
móna gan aon solas, b'fhéidir, ainneoin go mb'annamh leo
iad féin a mhearadh leo. Nó b'fhéidir gur ag forcamhás ar
na tithe ósta a bhíodar. Cé air a raibh siad ag caint nó ag

smaoineamh? Cé air a mbíodh póilíos ag caint nó ag smaoineamh, rá is nach raibh cruóg chladaigh, ghoirt ná phortaigh orthu agus saol na bhfuíoll acu ag tarraingt a dtuarastail. Ag dul soir ag na Dumhcha di chuala sí torann cairr ag teacht anuas Bóithrín Bhaile Dhonncha, agus bhí sí idir dhá chomhairle fanacht leis nó gan fanacht. Bhí Ard na Fearta roimpi. Chonaic sí uaithi i solas na gealaí na liagáin agus na leachtáin ar an mbreacriasc ar gach aon taobh den bhóthar, mar a bheadh gaiscígh ar a leathriasc ag éirí tar éis a ndúiseacht as a gcodladh le glór an stoic. Ba mhinic an stoc á shéideadh agus an t-ár á sheadú, má b'fhíor do na scéalta. Ach bean a raibh uirthi a dhul don Ghealchathair go minic i ndeireadh oíche—agus a dhul ann ina haonraic, dá hainneoin scaití—bhí uirthi, freisin, taibhsíocht agus síúlacht a chaitheamh as a ceann. Bhí an oiread neamhshuime déanta ag Bríd faoin scéal sin, is an faitíos a bhuaileadh í an chéad am claochlaithe chomh mór faoi seo, agus nár ghéill sí dó anois thar ghéarú ar éigin sa siúl gur bhailigh sí soir an tArd.

Ach ní raibh dada sa ruta sin ní ba mheasa ná Liam, an Táilliúr, agus buachaill óg eicínt eile nár aithin sí ina bhail. D'aithin Nóra glór gairgeach Liam ar an toirt. Bhí a fhios aici—bhí a fhios ag an tír—go ndéanadh sé clogán streille den oíche go minic ag ól sa sráidbhaile. Ar an dá luath is ar aithin Bríd an glór lig sí fúithi sa siúl agus sheas sí ar fad faoi cheann tamaillín. Ach ní raibh carr ná coisí le cloisteáil, go fiú is an carr a d'airigh sí ar baillín. Bhí airgead ag an táilliúr uirthi—airgead na culaithe ceanneasna a rinne sé dá fear anuraidh—agus bhí an dea-ghealladh is an drochchomhlíonadh tugtha aici chomh minic dó is nach gceadódh sí ar éadáil dá mbeadh uirthi é a scoitheadh anois. Ach b'éigean di iad a scoitheadh, arae ní raibh siad ach ag snámhaíocht agus bhí ionann agus míle go leith go dtí ceann an bhóithrín seo acusan fós. Bheannaigh sí dóibh.

'I nDomhnach,' arsa Liam go balbh lena leathbhádóir, 'an uair a bhí mise chomh hóg leat ní ligfinn mo leas ar cairde chomh réidh sin. Bean bhreá óg . . .'

'Tá comhartha cluas orm cheana,' arsa Bríd, chomh gealgháireach is a d'fhéad sí. Lig Liam a sheanscairt phóitiúil. 'Ná hiarr i ndiaidh na Curraí é,' arsa seisean agus d'áitigh air ag cur ucht chainte de faoi thráthúlacht mhuintir na Curraí, ach cheap Bríd go mba é an rud ba chaíúla di bogadh amach anois. B'fheasach di nár bhaol di iad. B'fheasach di ar ócáid den tsórt seo go mba thúisce a d'ionsófaí bean lena robáil ná lena dhul ag fiachadh uirthi ar chaoi ar bith eile. Ach ní raibh fonn moille ná cainte ar Bhríd, go háirid ó nach ligfeadh an náire di an t-airgead a tharraingt anuas chuig an táilliúr arís. Ach ba dhoiligh di an táilliúr a chaitheamh as a ceann. Nach tráthúil gurb é a chasfaí léi thar dhaoine an domhain? Ní mé an raibh sé ag inseacht anois dá chomrádaí faoin airgead a bhí amuigh aige uirthi? Níor dhuine den tsórt sin é. B'fhurasta é a riaradh agus bhí caomhúint ann. Ach ina dhiaidh sin b'ait an mac an t-ól. Bhuel, chaithfeadh sí é a íoc faoi Nollaig, pé ar bith céard a dhéanfadh dada. Ach cén áirge dó a cupla scillingín ghágacha sise? Bhí slí mhaith airgid tharstu aige, ach gur sna tithe ósta a d'fhágadh sé gach uile phingin agus a bhean agus a mhuirín ag scríobadh leis an nganntan sa mbaile. Ba ghroí an saol é.

Bhí Bríd breá te anois, arae bhí os cionn dhá mhíle siúlta aice. Ní ghoillfeadh sé uirthi na bróga a bhaint di agus iad a iompar ar a bacán. Bhí an t-uisce a bhí leathbhróg a ligean isteach ag tógáil a coise roinnt. Chaith sí siar an seál ar fad i mbéal an chléibhín agus ba réidhe an achair di an méid sin féin. Bhí stiúir shiúil anois uirthi dáiríre. Bhí an fhuil ag sceitheadh trína cuid cuislí chomh briosc le ceol as orgán. Níor airigh sí an bóthar ag sciorradh óna cuid cos. Thaitnigh an gearradh sin léi. Ba gheall le dúshlán don saol é.

Ó bhailigh sí soir Bóithrín na Leitreach ní raibh teach ar bith den chorrtheach a bhí ar shúil an bhóthair gan solas, agus bhí carranna móna ar feadh an bhealaigh. Cúig nó sé de cheanna acu ina scuaidrín scaití agus beirt nó triúr de na cinnirí bonn ar aon ag cloigeann cairr amháin. Corrcharr a raibh an cinnire ina shuí ar stuaicín na cabhlach chun tosaigh. Bhí go leor ban cléibhín agus ciseán ar an mbóthar freisin. Scata acu in éindigh in áiteacha. Iad ina mbeirteanna in áiteacha eile. Cuid eile ag siúl fré lucht na gcarranna móna. Ní raibh thar aithne shúl ag Bríd ar a bhformhór, agus ba dhiacht di aithne shúl féin a bheith aici ar chuid acu, arae ba as na bólaí soir amach ón sráidbhaile a mbunáite agus cúig mhíle siar ón sráidbhaile a tógadh ise. Ba bheag araoid a chuir sí riamh orthu ach oiread, i ngeall go mbíodh a comhluadar féin aici mórán i gcónaí go dtí inniu. Ach níl aon chíos ar an aithne ar an mbóthar. Ina dhiaidh sin féin is é a ndearna Bríd beannú go laethúil do gach uile dhuine agus gan a dhul i bhfad scéil le haighneas cainte ar bith. Ainneoin nach doicheall a bhí aici leo, bhí sí in imní go mbeadh dream eicínt chomh díocasach faoi fhorradh cainte a chur ar 'an strainséara' agus go gcinnfeadh uirthi a gcur di. B'fhaisean leis na scataí ban dealú ina mbeirteanna tar éis geábh den aistear agus, pé ar bith cén sásamh a gheobhfadh sí as sioscadh scaoithe, ní bheadh gnaoi ar bith aici ar cheiliúr beirte. De bhríthin an bóthar a bheith chomh fada, ba lú luiteamas Bhríde le

comhluadar. Dar léi féin b'fhada an t-achar naoi míle agus
ba ghabhlánach an rud í an scéalaíocht.

Faitíos a bhí uirthi dá dtugadh sí comhluadar do bhean
ar bith eile go ngabhfaidís rótheanntásach sa gcomhrá. Bhí
réanna dorcha ag téaltachan faoina hintinn agus saigh-
deanna goimhe go buanach ag speireadh a croí. Ní fhacthas
riamh do Bhríd go mba údar fuasaoide cruatan ná crácamas
an tsaoil. Níor chuimhnigh sí amháin go mba mhaith an
aghaidh casaoide agus pionóis Mike an tSiopa as ucht
trí phraghas a bheith aige ar an earra chéanna de réir mar
bheadh duine go géar i dtuilleamaí airleacain, de réir mar
bheadh an t-airleacan ag teacht ag gáirí chuige, nó é neamh-
thuilleamhach ar fad. B'fhada uaithi cuimhniú ach oiread
gurb é an Duine ba chiontach leis an lear léanmhar a
choinnigh in adhastar an anró agus an angair í, a chuir
faoi deara di an tuairt sin a chur uirthi féin don Gheal-
chathair gach Satharn ina cosa boinn, a choinnigh faoi
shíorimní agus ag síorsclábhaíocht í . . . Ba dhamhna bróin
agus aiféala léi go raibh na rudaí sin amhlaidh, mar
chuid de bhró mhuilinn Ghleanna seo na nDeor—mar
oidhreacht oidhiúil an Úill. Ach níor smaoinigh sí riamh
go mba shiocair phearsanta chun fuasaoide iad, ach an
oiread agus a chuimhneodh sí go mba éagóir uirthi féin
thar dhuine ar bith eile go raibh sé de bheith uirthi doin-
eann, anachain, bás, nó easpa gréine de shiúl oíche a
fhulaingt. Cé gur thuig Bríd go maith céard é 'ádh', 'mí-
ádh', agus 'anachain', ní raibh sí in ann aon abhras
barainneach a bhaint as 'só agus sonas an tsaoil'. Ach
b'fheasach di nach raibh sásamh intinne uirthi ná baol air.
Is éard ab aite léi a chású go mba urú ar a sásamh intinne
síorbhrú an tsaoil amuigh a bheith ag plúchadh na ngaetha
gréine, i riocht is go raibh goimh a croí ag iarraidh brú

amach ar an saol ina shileadh séidte domlais . . . Ní fhéad-
fadh sí anois a dhul ar cuairt chuig a muintir de bharr an
dá pháiste, agus an uair annamh a dtaobhaíodh aon duine
áirid acu í ní éiríodh aon chúlráid chainte leo, de bharr
cunórtais a céile agus a comharsan. Ba mhinic a thabhar-
fadh Bríd cuid mhaith ar a díol teanntáis a bheith aici ar
bhean eicínt aitheantais, ainneoin nár léir di go mba
íocshláinte ar bith do bhalscóideacha a croí glagaireacht
na gcomharsan. Ba é ar léir di go ngabhfaidís ag méirín-
teacht leo d'aon uaim le borradh leo. Chuirfidís agús i do
scéal, faoi nach mbíodh a ndíol suime acu éisteacht leis
agus é a thógáil mar is ceart. Ach bhí a fhios aici go mba
faoilte mhór dá croí a gearán a dhéanamh. Agus b'fhearr
léi é a dhéanamh leis an duine cuideáin, leis an duine i
bhfad ó bhaile nach gcuirfeadh de shuim ann thar mar a
chuirfeadh sé i siolla den ghaoth, ná le duine aitheantais
nach mbeadh sé ach mar mheá dó lena 'scéal fada ar an
anró' féin a chuimsiú agus a chású, agus mar údar béadáin
dá chomharsa ina aice sin. Rud ab annamh léi, níor shólás
ar bith di inniu fios a fháil go raibh ar feadh an bhóthair
tuilleadh in aimléis chomh géar léi féin. Bhí an oiread
réanna dorcha ar a hintinn inniu agus go raibh sí in imní
nach bhféadfadh sí aon ghuaim a choinneáil uirthi féin
dá dtéadh sí ar fhuasaoid chor ar bith. Bhí na balscóideacha
seile domlais in alt a mbriste le borradh. Tháinig faitíos
uirthi go dtosódh sí ag gol . . .

Ba bheag an stró uirthi an chuid is mó dar scoith sí a chur
di. Ach bhí bean ciseáin ag bóithrín Ionnarba agus,
ainneoin nach raibh aithne shúl féin ag Bríd uirthi, sách
rite a chuaigh sé léi í féin a thabhairt as a crúcaí chor ar
bith. Níor tholgán di coinneáil suas léi de bharr nach raibh
aici ach ciseán éadrom. B'éigean do Bhríd neartú sa siúl,

i riocht is go bhfaigheadh an bhean eile caidéis dá furú agus
go bhféadfadh sí a rá léi go raibh uirthi a bheith sa nGeal-
chathair leis an im ag custaiméir faoi chomhair an bhric-
feasta ag a hocht a chlog. Bhuail cineál aiféala arís í nár
fhan sí léi, arae ba chosúil gur bean í a bhí tóiriúil ar chomh-
luadar an strainséara, a fearacht féin Satharnacha eile . . .

Gleann an Aonaigh. Ard na Cille. Coill na hAille. An
Sruthán Geal. Shnámh siad chuici chomh righin le tamh-
nóga chuig taistealaí tartúil ar lom gaineamhlaigh. Lig sí
a scíth ag Bearna na nEach. Lig sí scíth arís ar Chloich an
Choiléir scaithín soir. Níor airigh Bríd riamh chomh
tugtha traoite chomh luath sin san aistear. Bhuail faitíos
í nach raibh inti ach an rith searraigh inniu agus nach
bhfanfadh mothú ar bith inti as deireadh na ruaige.
Chaillfí le náire í dá gcaitheadh sí a bheith ag ligean a
scíthe gach uile phointe san am a dtiocfadh lá. Céard a
déarfaí? Rúisc de bhean óg luath láidir. Agus gan aici ach
beirt pháistí fós. Nár mhaith an chiall é ag mná a raibh
dáréag clainne orthu agus a bhí ag siúl an aistir sin go
spleodrach.

Lig sí scíth eile. Bhí iris an chléibhín ag tógáil a slinneáin
roinnt, de bharr ar tharraing sí d'fheamainn dhearg ar a
droim ar feadh na seachtaine. Ach chuaigh an ghealach faoi
agus bhí dorchadas greadánta dheireadh oíche ann anois.
D'fhéadfadh sí déanamh go réidh, arae ba ar a chruachúis
do dhuine ar bith í a aithneachtáil dá ngéaraíodh sí amach
ag dul thairis. Ansin chuimhnigh sí ar a cóta gibíneach a
chrapadh suas timpeall a másaí. Ba réidhe an achair dá cosa
é, mar bhí an roithleadh allais síos leo. Níor chaíúil an
mhaise dise—máthair óg—an cleas sin agus bhí sí buíoch
den dorchadas nach gcuirfí aon chronaí ann.

Ach ba ghearr arís go raibh sí ag cruachan in aghaidh na

hanachaine ag iarraidh déanamh d'uireasa aon scíth go mbeadh sí ar mhullach an chéad airdín eile.agus b'fheasach di nárbh fhada go mbeadh sí ina puca arís ó thosaigh sí ag iarraidh barúla a thabhairt cé mhéad coiscéim go dtí an t-ard eile ina dhiaidh sin. Bhí teanntás naimhdeach aici ar gach ard agus fánán, ar gach cor agus cuisle den bhóthar, mar bheadh ag páiste ar ghoití athar ghéir. Ní raibh troigh de nár cheil ríscéal a sháródh gaisce Áth na Foraire, dílseacht mhacra Fionntrá, fadfhulaingt Ghoill ar an gCarraig, nó duifean croí Dheirdre na nDólás. Do Bhríd agus dá liachtaí Bríd léi ba Via Dolorosa gach míle, ba Gethsemene gach troigh, ba Úll na hAithne a chúiteofaí le hallas, imní, angar agus umhlacht gach cloch . . .

Lig sí scíth faoi dheireadh ag Droichidín na Saor. Ba é sin an teorainn leath bealaigh. Bhí os cionn ceithre mhíle Éireannach roimpi fós. Ní mé cá fhad ar an mbóthar í? Léanscrios ar an gclog le cleas a dhéanamh. Cá fhad uaidh lá? Ach bhí réalta na maidine go buacach thoir cheana féin, an dearg ag claochlú ina ghlas agus corréan moch-óireach ina shuí.

Ní raibh sí chomh seangtha sin riamh leath bealaigh. Bhí a colainn ag bruith leis an gcruashiúl. Bhí a cosa ag dul thar a chéile agus iad ag diúltú a dhul chun cinn. Gach uile uair dá ligeadh sí scíth thagadh na creatí fuaicht uirthi de bharr téachta an allais. Agus d'airíodh sí a cosa ag creathadh, go háirid os cionn na nglún, agus pianta gartha ag teacht in íochtar a broinne. Is maith a bhí a fhios aici cén t-údar na pianta . . . Agus gurbh olc a théadh an tonnáiste sin di le gairid.

D'imigh léi dá siúl ionsaí arís. Bhí gliondar uirthi go raibh an dorchadas ann. Ba thearmann di é. Dá dtagadh meirfean uirthi, is é ar chall di a dhéanamh í féin a chaitheamh isteach i log an mhóinín bháin agus ní fheicfí í go dtagadh lá. Ba mhaith ba chuimhneach léi Neile Mháirtín a fritheadh marbh chois an chlaí mar sin ag Bun an Tortáin. Dúradh ag an gcoiste go raibh sí dhá uair básaithe an t-am ar fritheadh í, agus ba é ráite na ndochtúirí gur lagar ocrais a thug bás di. Bhí sé ag gleadhradh báistí is an mhaidin chomh dubh leis an bpic, agus sáinne isteach sa gclaí san áit a bhfuair sí fód a báis. Ach ina dhiaidh sin féin nár mhór an t-ionadh nach bhfaca duine ná deoraí de na scórtha a chuaigh thairsti ar an bhfad sin í. Agus d'fhág sí áilín a bhí ar aon chéill ina diaidh.

I bhfad uainn an anachain, dá n-éiríodh an rud céanna di féin, nach é an teach a bheadh ina bhambairne. Céard a dhéanfadh a dhá páiste? Má bhí sé ag dul rite lena fear iad a bhréagadh lá amháin sa tseachtain agus ise as baile, cén ghair a bheadh aige air seacht lá na seachtaine? Fhobair Eibhlín í féin a loscadh leis an uisce bruite an Satharn seo caite, tar éis gur gheall a fear di sular fhág sí an teach nach gcorródh sé amach in éadan a chuid giotamála nó go dtagadh Neile bheag Shéamais ina gcionn. An mbeadh sé chomh beophianta antlásach sin inniu? Ní chomhairleodh an saol é. Ní mé ar dhúisíodar fós agus ar thosaíodar ag gol. Ba mhinic leo leis an deargmhaidin. Agus an gcuimhneodh sé braon bainne te a chur i mbuidéal diúil Khiteen i leaba an bhainne a bhí fuar ann cheana thar oíche . . .

Ba shásamh binibiúil eicínt do Bhríd a shamhlú di féin go mbeadh sé fánach ag a fear aon cheart a bhaint de na páistí dá 'n-imíodh' sí féin. Ach phósfadh sé arís. Bheadh leasmháthair ar an gclann. Leasmháthair a chaithfeadh an droch-cheann leo agus a rúscfadh iad dá dtéidís ar ábhailleacht nó ar chantal. Ní fhéadfadh leasmháthair a bheith

ar a mhalairt agus chomh rite agus a théadh sé léi féin
scaití gan a lámh a thógáil chucu. Ba mhór an t-anró
páistí. Ba thiaráil iad a thabhairt ar an saol. An dá pháiste
mharbha a bhí aici féin a d'fhág a cruth cailín óig ar iarraidh
agus a chuir spadántacht meánaoise ina cnámha. Ní raibh
sí ar a cóir féin ó shin. An mbeadh aon pháiste marbh eile
aici? Nár lige Dia. Thabharfadh sé talamh di dá mbeadh.
Ach céad fáilte roimh ghrásta Dé. Agus dá mbeadh gan
páiste ar bith a bheith aici . . . An mbeadh sí féin agus a fear
chomh gafach lena chéile is a bhí siad anois? An é a gcantal
fuar balbh féin a bheadh i leaba chantail ghártha na bpáistí?
Arbh fhiú lena fear oiread is éirí ar mhaidin den tsórt seo
le beannacht an bhóthair a chur léi, dá mba i ndán is
nach mbeadh údar aige a rá, mar dúirt sé go héadóchasach
inniu, go raibh dóchas aige go bhféadfadh sé na páistí a
bhréagadh an fhad is a bheadh sí as baile. Ní raibh aici
ach breathnú ar Nóra Anna agus ar a fear céile. Iad mar
bheadh dhá bhrionglán tlú nua ann ach gan aithinne riamh
á bhaint ag an dá bhosóg as a chéile, ach torann bodhar
marbh. Bhí an troid agus an t-uaigneas ag an dís sin i
bpáirt, má b'fhíor. Ní raibh troid ná uaigneas ag Bríd, ach
cantal an dá pháiste.

Cantal. Síorchantal agus abhlóireacht. Í leath na gcuarta
ar neamhchodladh acu. Barr ar an mí-ádh, bhí an triuch
agus an bhruitíneach ag guairdeall timpeall anois agus na
scoileanna dúnta. Níor mhinic leis an anachain a doras
féin a scoitheadh gan bualadh isteach. Dá dtagadh an
triuch nó an bhruitíneach orthu bheadh sé mí fhada sula
mbeadh siad as a gcrioslaigh, agus ní chuideodh sin dada
léi féin . . . An bhféadfadh sí scoil a thabhairt dóibh? Níor
mhór é, arae go Meiriceá a chaithfidís a dhul. Ba é ráite
gach uile dhuine go mbeadh cead Meiriceá arís ach a

mbeadh an cogadh thart. Chaithfidís taobh eicínt a thabhairt orthu féin, tharla nach mbeadh spré aicise lena bpósadh in aice baile. Ba dheacair scoil a thabhairt don chuid ba shine ón uair a bheidís inchúntach chor ar bith, ach chaithfidís riar a fháil ina dhiaidh sin, dá mba dá oiread sclábhaíochta uirthi féin é . . . An mbeidís briosc faoi airgead a chur abhaile? Nó an ndéanfaidís fearacht a deirféar féin a gheall di síneadh láimhe a chur chuici trí huaire sa mbliain agus nár tháinig leithphingin rua uaithi ón gcéad bhliain—mura scríobhadh sí an Nollaig seo. Ba mhór an leas cupla punt. Bhí airgead mór ar gach uile rud—an té a raibh an deis aige—ach bhí a cheithre luach ar gach uile shórt dá raibh duine a cheannach, freisin. Agus má ba iad na muca ba dhaoire, bhí siad dá gcriogadh thar a chéile leis na 'staggers' anois. Ní mé an dtiocfaidís ar a gcuid suán féin . . .

Mar seo a bhíodh Bríd i gcónaí, i síorfhaitíos do na rudaí a bhí roimpi. Ní raibh leath suime aici san anachain a bhí ann le hais na hanachaine a d'fhéadfadh a theacht. Ba mhór an buille orthu na muca dá mbuaileadh dada iad. Bhí sí ag baint an ghreama as a béal féin lena ramhrú faoi chomhair Aonach mór na Nollag i gceann míosa eile. D'fhéadfaidís a bheith ina bpáineanna maithe an uair sin, dá n-éirídís léi . . . Bhí bille trom sa siopa uirthi, a seál sceite, a cuid bróg ag ligean isteach, 'airgead acraí', airgead táilliúra agus airgead leasaithe lena íoc. Barr ar an dathúlacht, bhí na beithígh ag imeacht amach agus na cearca ag dul ó bhreith. Tar éis a dícheall ní bheadh aon slí baile móir feasta aici, dá chruinne dár thiomsaigh sí gach uile bhrobh le beart a dhéanamh agus le snáth a choinneáil faoin bhfiacail. Chaithfeadh snáth na seachtaine a dhul an choicís as seo amach.

Ach níor dhada na tubaistí seo. Bhí siad ann. Bhí siad
soláimhsithe. Bhí cumraíocht agus cnámh iontu. D'fhéadfaí
a dtroid. Throid daoine tubaistí ní ba nimhe neanta ná
iad ar feadh na gcéadta bliain. Throidfí le fuil agus feoil, le
crácamas, le tíobhas agus le dóchas iad. Ach coranna
nua-aoiseacha nár tháinig sa saol fós agus nár thug rian
fiannach an chine fhulangaigh seo aon fhionnoscladh orthu,
b'in iad ba dhíol faitís léi ar fad. Ní raibh a fhios céard ba
riocht, goití ná faobhar dóibh fós. Bhí an saol ar fad ar
forbhás agus gan aon fhéilíocht air. Chuala Bríd sean-
fhundúirí ag rá gurbh é 'deireadh an tsaoil' é. Bhí an
tairngreacht istigh ar fad. Ba é seo 'Cogadh an Dá Ghall'.
Bhí caint mhór ar 'chonscription'. Dá dtugtaí a fear uaithi
agus é a mharú. Ní raibh aon duine dá ndeachaigh as an
taobh tíre sin sa gcogadh gus nuige seo nár maraíodh. Agus
dá mbeithí gan a chaitheamh ach aon urchar amháin bhí
Bríd cinnte gurbh é a fear féin a bhuailfí. Bhí an smál sin
orthu i gcónaí . . .

Agus bhí an saol ag éirí corrach in Éirinn féin. Chuala
sí go raibh rachlas eicínt thart síos an lá faoi dheireadh.
Agus ba dheacair beatha a fháil, leis an seachadadh síos
féin. Bhí sé ina luaidreán nach dtiocfadh plúr, tae ná
tobac, ná an siúcra donn féin feasta, agus go dtógfadh na
saighdiúirí na beithígh agus an barr an bhliain seo chugainn
dá maireadh don chogadh.

Cá fhad ba chall di féin a bheith ag dul don bhaile mór
mar sin? Bliain, dhá bhliain, cúig bliana . . . Fiche bliain . . .
Go mbeadh an iníon ba shine in ann é a dhéanamh ina
leaba. Bheadh sí bunaosta an uair sin agus í ar fharasbarr
spleáchais leis an aistear. An bhfoilseodh leagan a héadain
agus ligean a colainne caiseal cruach a hintinne dúshlánaí
don saol Fódlach leis an aimsir? An dtiocfadh cruit an

chléibhín uirthi agus coiscéimeacha fada támáilte chapall
an ualaigh ina cois shnoite urrúnta? Nó stiúir chonfach an
tsiúil. Nó na gialla géara sceirdiúla mar bheadh tosach
curaí ann. Nó na leicne cairtiúla agus priondaí iontu ar
nós crúba gé na gcloch míle. Nó súile agus faghairt cháidh
na cruach iontu. Mar sin a bhí mná bunaosta a haithean-
tais: boige a ngotha fuinte ina tonn chruach ag seiftiú na
seachtaine agus ag aistear céasta an tSathairn.

Agus an mbeadh ar a clann féin an t-anró seo a shaothrú?
Dá bhfaighidís duine eicínt a chuirfeadh a bpaisinéireacht
chucu as Meiriceá bheadh leo. Ach ar nós gach uile shórt
eile, cá raibh a fhios go mbeadh aon chead Meiriceá níos
mó. An rud ba mheasa ar fad, dá gcastaí an oiread spré
acu de bharr a cuid stangaireachta féin is a gheobhadh fir
dóibh in aice baile. Ansin bheadh seiftiú na seachtaine
agus aistear an tSathairn rompusan, freisin. Ach cá bhfios
cad é sin? B'fhéidir go mbeadh malairt saoil ann an uair
sin. Ní raibh na 'jauntanna' ach ag daoine móra i dtosach,
ach bhí siad ag bodaigh thuaithe anois agus na daoine
móra ag lascadh thart i mótair. Cá bhfios nach dtiocfadh
sé sa saol go mbeadh mótair ag lucht tuaithe freisin, chomh
maith leis an 'Iarla'? Agus ba ghearr ó thosaigh na
'bicycles', ach bhí siad ag cuid de na fir cheana agus ag
corrbhean féin. Ba chuma sin. Ní raibh aon 'bhicycles' ag
mná pósta ná ag mná tuaithe. Ach ba chríonna an té a
déarfadh dada ar an saol corrach seo. Cá bhfios nach
mbeadh 'bicycles' ag gach uile bhean nuair a bheadh a
hiníon féin in inmhe . . . Ach cén mhaith 'bicycle'? Ní
fhéadfadh duine cléibhín ná ciseán lán a iompar air,
ainneoin go bhfaca sí bagáistí ní ba mhístuama ná sin ag
teachtairí siopaí sa nGealchathair. Ach ba bheag an bhrí
é sin in achar gearr. An mótar a d'fhónfadh ceart do bhean

an chléibhín ime. Ach ní fheicfeadh sise lena linn féin é.
Agus níor mhóide dá hiníon ná do bhean a mic é a fheiceáil
ach oiread.

An mbeadh bean a mic—an mac nár rugadh fós—ina
dea-cheann di? An dtabharfadh sí beadaíocht ón mbaile
mór chuici, agus a bricfeasta ar an leaba? Nó an á díbliú
a bheadh sí mar a bhí bean a mic féin le hÚna Chaitlín?
Bheadh sí lách go leor b'fhéidir, nó go dtagadh clann agus
cantal. Ach a bpósadh a mac bheadh cúram agus clann
agus cantal arís ann, ach gurb ar bhean a mic a bheadh sé
ansin. Ach bheadh sé ann pé acu sin é, agus chaithfeadh
sise a dhul faoina cion dó chomh maith le duine. Ba mhór
an bannaí di ar aon chor go mbeadh sí ag fáil corrphunt
as Meiriceá ón gcuid eile den mhuirín, agus nach dtabhar-
fadh sí féin ná an seanfhear an teach agus an talamh thar
barr amach don mhac nó go bhfaighidís an pinsean. Ach a
bhfaigheadh sí an pinsean, bheadh sí neamhspleách arís.
Mura dtaitníodh léi, d'fhéadfadh sí a rogha rud a dhéanamh
leis. Bheadh líne óg sa teach ag coraíocht leis na cúrsaí
céanna a raibh sise ag coraíocht leo anois. Ach níor dhóide
dó thairis sin de mhúisiam a chur uirthi, ó tharla nach ar a
craiceann féin a bheadh an t-aithinne. Bheadh ionú
cuartaíochta agus comhrá aice. D'fhéadfadh sí stráisiúin
fhada a chaitheamh i dteach na comharsan. Ach thiocfadh
an tráth nach mbeadh sé de láthar inti an teach a fhágáil—
ná b'fhéidir an leaba. Bhí Bríd cinnte go mbeadh drogall
uirthi scaradh leis an saol. Ainneoin sin thiocfadh an bás
. . . Ach ní dheachaigh Bríd ní b'fhaide leis an smaoineamh
sin, tar éis an tsó bhínibiúil a d'fhaigheadh sí as a fuasaoid
agus as cuimhniú ar a cúrsaí fulaingthe féin. B'fhollasaí go
mór di na críocha déanacha ná cora crua crosta an tsaoil
seo . . .

Bhí sí ag Ard na Ceartan anois agus sheas sí lena scíth a ligean. An fhad agus a bhí sí ag smaoineamh, níor airigh sí an bealach ná an tuirse. Ach bhí sí craiplithe go maith agus an gearradh gionach uirthi leis an ocras. Tháinig ríméad uirthi gur thug sí léi an lón a chuaigh sí ar ithe anois. B'annamh léi riamh cheana ocras a theacht uirthi nó go mbíodh sí ar shlata an bhaile mhóir nó i ndáil leis. Bhí an dorchadas ag scáineadh anois agus glas na spéire thoir ag claochlú chun báineachta i leaba a chéile, ach bhí ceo trom ann agus braon i mbéal na gaoithe. Bhuail faitíos Bríd go ndéanfadh sé lá sa gclaí ar fad. Dá ndéanadh bheadh sí ina líbín sula mbeadh sí sa nGealchathair. Cén bhrí ach dá mbeadh uirthi a dhul don mhargadh. Thriomódh a cuid éadaigh ar a craiceann arís, agus níor dhóide cleas di ná drochruaig a tholgadh as. Ach d'imigh riar den imní di mar sin féin. Bheadh an oiread den aistear di aici roimh lá is a bhí aon Satharn cheana. Bhí sé crua aici a bheith mórán le míle ó shráidbhaile na Maoile agus thart faoi sin a bheireadh na 'jauntanna' uirthi i gcónaí. Ach níor mhiste di a bheith thairis, arae, dá mbeadh áit le cois acu, bhídís i gcónaí ag tnúthán le trácht ó bhean airgid, áit ar bith chomh fada leis an sráidbhaile sin. Chuir an stiallóg aráin thuir mothú inti, ach gur bhuail fail í a bhí ag déanamh glugair i mbéal a cléibh mar bheadh súiteán taoille i dtóchar folamh cladaigh.

Ach rinne sí dearmad ar an bhfail ag béal bóithrín Aille an Bhroic, arae thosaigh sí ag smaoineamh ar Labhrás na hAille. Shoraidh dá hathair nach do Labhrás a thug sé í san am ar iarr sé í. Bheadh ionann is sé mhíle bainte dá haistear don Ghealchathair, agus ní shaothródh sí a leathoiread sclábhaíochta. Nó dá bpósadh sí Páid Concannon as Páirc an Doire, bheadh sí i gcluasa an bhaile mhóir agus ba é a mbeadh uirthi éirí bunmhoch leis na ba a bhleán, suí suas ar a cairrín asail agus a dhul isteach don bhaile mór lena cuid bainne. Ach díol cam air, bhí sé róshean. Agus ar aon chor ní thaitneodh léi a bheith isteach agus amach sa mbaile mór dhá cheann de lá—ná uair sa tseachtain féin, dá mbeadh neart air. Nach mairg nach go Meiriceá a chuaigh sí san am a bhfuair sí a dhóigh, i leaba géilleadh dá muintir.

Bhí géim ard acmhainneach ag Carraig na Loinge. Chuala sí bean as na bólaí sin a bhí fré, maidin, ag rá go mba thuar drochshíne é sin. Bhí an sinneán gaoithe ag feadaíl trí phoill na gclaíocha agus piachán binn scréachta i sreanga an tinscéil. D'áitigh Bríd uirthi ag rá giota d'amhrán amach go hard ina fhocla di féin. Amhrán Phádraig Choilm: *Tá mé i mo shuí ó d'éirigh an ghealach aréir.* Ach ní raibh aici thar dhá cheathrú. Ansin thosaigh scéal Ridire an Gháire Dhuibh—scéal a huncail, Micil Mháirín —ag folcadh díthreabh a hintinne. 'An áit ba te ba teann. Rinne siad cruán den bhogán agus bogán den chruán, nó gur chroith siad an talamh i bhfoisceacht naoi n-iomairí agus naoi n-eitrí díobh, gur thugadar toibreacha fíoruisce aníos trí lár na leice glaise le neart a gcuid coraíochta.' Thoill macallaí taitneamhacha na cainte in eangaí a hintinne, ach ní raibh an scéal sin aici ach oiread. B'iontach léi nach raibh sí in ann rudaí mar sin a thógáil, ainneoin nach raibh daorbhasctha di ag dul chuig an scoil. Ach ba bheag a haird orthu riamh. Chaithfeadh sí páipéar nuachta a cheannach inniu, dá mbeadh aon phingin le cois aici tar éis luach pionta a choinneáil d'fhear na cairte a thabharfadh abhaile í. Léifeadh sí dá fear lá arna mhárach é agus d'inseodh sí dó céard ba chor don chogadh. Ach ní raibh sí an-chinnte an raibh sí in ann é a léamh anois. Bhí sé an fhad sin ó rug sí ar leabhar ná ar pháipéar. Bheadh sí in ann luach na muc a dhéanamh amach ar aon chor, agus sin é a mbeadh óna fear.

Ar a theacht go mullach Ard an Léana b'facthas di go mba léir di tithe na Maoile ina sondaí éagruthacha áibhéile tríd an gceo agus an dorchadas. Níorbh éadáil mhór riamh léi a dhul ina haonraic tríd an sráidbhaile sin de shiúl oíche, cé go ndearna sí uair nó dhó cheana é. Bhí droch-cháil robála ar an áit ón seanreacht, ainneoin nár chuala sí gur cuireadh aon araoid ar aon duine ann leis an cianta. Dhá ghlúin aithrí agus dea-iompair a bhí di ag an Maoil anois, ach níor leor sin lena clú a tharrtháil. Ar aon chor ní uirthise a rachaidís ag fiachadh, agus bíodh tóirithe ann faoi chéad. Na tithe cruinnithe ina gcaidhlín ar an leiceann crochta den bhóthar mar bheadh scuaine iolrach ar aill ar tí a bhfáiteall a thapú nóiméad ar bith: b'in é an rud a chuireadh scáth uirthi i ndorchadas na hoíche. Agus b'in é an méid.

Cuireadh bachall i dtuinte a cuid smaointe d'aon iarraidh. Bhí duine roimpi ar an mbóthar. Bean a bhí ann— bean cléibhín. Bhí uige a cuid smaointe féin chomh deasaithe sin thairsti arís agus gur tháinig iontas uirthi faoin mbean seo a fheiceáil. B'fhada an stróic bhóthair a bhí curtha di aici ó chonaic sí duine ná deoraí go deireanach. Peigín Nóra as an mbaile ba ghaire di féin a bhí ann. Sheas sí ina staidhce i lár an bhóthair le fuireacht léi agus ní raibh aon ghair aici a cur di ach an oiread is a chuirfeadh coinín easóg a bheadh ar a thí. Thit an drioll ar an dreall uirthi. Tar éis go raibh sí ag seachaint chuideachta ar feadh na maidine d'aon uaim bhí cuideachta aici anois dá buíochas. Agus go mbeadh na 'jauntanna' chuici pointe ar bith feasta. Peigín Nóra thar aon bhean. Bean nach raibh gnaoi aon

duine uirthi is a bhéalráití agus a bhí sí. Agus bean a raibh
an ghráin ag lucht 'jauntanna' go háirid uirthi. Thóg sí
'jaunt' go minic agus chuimil sí sop na geire don tiománaí
faoin íocaíocht. Nó sin é an cháil a chuala Bríd uirthi ar
aon chor. Bhí sí ina bambairne críochnaithe anois. Ní
fhéadfadh 'jaunt' ar bith beirt a thógáil, gan a áireamh gur
dhuine den bheirt Peigín Nóra.

Más in aghaidh a tola a bhí Bríd ag éisteacht, ba ina
claibín muilinn a bhí Peigín Nóra ag meilt. Ag meilt mín
agus garbh. Luach earraí. Luach slí. 'Conscription' a bhí
ar ghort an bhaile. Soitheach mór Meiriceánach a cuireadh
go tóin poill agus litreacha airgid Nollag uirthi in aice
lastas tae agus tobac. Bhí na 'staggers' agus an triuch ar an
mbaile seo acu féin ó inné roimhe sin. Agus bhí fiabhras arís
i Leitir Gaoithe. Ní raibh Mike an tSiopa le ní ba mhó
airleacain a thabhairt uaidh do dhaoine áiride mura nglan-
aidís a gcuid fiach an Nollaig seo. Bhí iníon le Tom Beag
ag teacht abhaile. Ní raibh a fhios go barainneach fós cé
hé an fear. B'uafás an sagart amárach . . . Ainneoin go
raibh ar Bhríd éisteacht, ní bhfuair sí aon bheadaíocht ar
an mbéadán seo. Chuimhnigh sí ar a dhá páiste mharbha
féin. Bean ar leith ag Bríd í bean ar bith a shrianfadh tríd
gan fuíoll. Ní raibh i gcúrsaí eile na giniúna aici ach stuáil
d'aothú oidhe-dhráma.

Ag dul thar tigh Mhairéide an Ósta dóibh sa Maoil d'iarr
Peigín isteach í. Ba mhór an croí dóibh leathghloine fuisce
an duine. Ach b'fheasach do Bhríd nach raibh gair aici an
dara deoch a ghlaoch, agus ar aon chor níor ól sí féin aon
deoir riamh cé is moite de chorrthaoscán ar bhainis nó ar
bhaiste. Ní raibh sí cinnte, pé acu sin é, nár mhór an
mheanma di ar a cuid tuirse leathghloine 'puins' a ól, dá
mbeadh a luach aici. D'iarr sí ar Pheigín a dhul isteach ar a

haghaidh féin agus go bhfuireodh sí léi. Ach ní ghabhfadh. Scrúd sé Bríd go mór go mb'éigean di a dhul i mbarr a sóláis ar Pheigín, ainneoin cáil an óil críochnaithe a bheith uirthi mar Pheigín. Níor fhan mórán cainte ag Peigín ina dhiaidh sin, tar éis go rabhadar beirt cos ar chois. D'fhág sin smaointe Bhríde mar bheadh beithígh éigéille ann, ina hintinn. I dteannta gach aon sóirt bhí sí á bualadh suas ar fad as a cosa agus faitíos ní ba chráite ná riamh uirthi go sáródh na trí mhíle deireanacha uilig í. Chaithfeadh sí na bróga a chur uirthi ag breith isteach ar cholbhaí an bhaile mhóir di, agus bhí imní uirthi dá réir sin go dtógfaidís a cosa ar an seal deiridh den aistear. Bhí sé ag teacht ní ba fhliche freisin. Bhí an ghaoth claochlaithe agus brádán salach ann a shraimleodh agus a bháfadh thú gan fhios duit féin. Nó gur fhéach sí ina diaidh lena fheiceáil an raibh aon 'jaunt' ag teacht níor chuimhnigh sí a cóta craptha a scaoileadh síos, cé go raibh ar eire aici sin a dhéanamh sular shroich sí an Mhaoil. Bhí an dorchadas ag leá de réir nótaí, agus solas an lae ag coirtiú idir í agus an cochall de cheo broghach a bhí i mbéal Coille na Maoile. Sinneán gaoithe féin ní raibh sa gcoill inniu, ach marbhántacht mar bheadh anáil an bháis ann faoi na crainn loma agus braonacha móra fliucháin ag titim dá mbarr, ina bpráibeanna broghacha ar nós smugairlí taghda drochchinniúna.

Thoir i nGleann na Coille a scoith na chéad 'jauntanna' iad—trí cinn acu le pont a chéile. Níor bhreathnaigh beirt de na cinnirí, beag ná mór orthu, ach ní raibh aon tnúthán ag Bríd go mbreathnódh, mar níor 'jauntanna' aitheantais iad. Máirtín Mór an 'jaunt' láir agus d'fhéach sé fearacht is dá mbeadh mearbhall ar a shúile agus go raibh sé ag cinnt air a chreidiúint go raibh beirt ann. Ansin thug sé

súil orthu a dhéanfadh aon duine amháin den bheirt le
go dtoillfidís ar an aon áit a bhí aige ar an gcrannóg. Ansin
d'ionsaigh air ag tabhairt gach re súil ar Bhríd agus ar
an áit fholamh a bhí ar a chúl, ach tar éis beagán brait-
eoireachta chroith sé an srian agus bhain sé sodar as an
gcapall suas in aghaidh an airdín. Faoi cheann ala an chloig
scoith Cóil Liam iad agus gan aige ach beirt agus é féin.
Thuig Bríd go dtónfadh sé marcaíocht uirthi féin murach an
ghráin shíoraí a bhí aige ar an té a bhí ina bail. Bhí Máire
Sheáinín ar an 'jaunt' seo. Ar ín ar éigin a sméid sí a ceann
ar Bhríd agus thabharfadh sí an leabhar gur tháinig faoilte
an gháire ina súil an uair ba léir di nach raibh aon rún ag
Cóil Liam í a thógáil. Soir tuilleadh thóg Micil Mór
Peigín. Dá gcuirtí slat ar Éirinn ní bhfaighfí fear ba ghrá-
diaúla faoina mharcaíocht ná Micil, agus b'fhearr leis
Bríd a thógáil ach go raibh sé chomh coinsiasach is gur
shíl sé go mba mhó an scéal an bhean mheánaosta. 'Tá
tusa breá láidir agus óg le bóthar a bhualadh,' arsa seisean
le Bríd. 'Dá bhféadfainn é thógfainn thú.'

Bhí a fhios aici ó tháinig sí go dtí cóngar na mbóithre
agus ó thogair sí a dhul an bóthar ó thuaidh gur droch-
sheans a bheadh aici ar mharcaíocht a fháil, arae théadh
bunáite na 'jauntanna' an bóthar ó dheas. Ba é an bóthar
ba mhó cónaí agus ba mhó díol ar 'shlí' é. Chaith sí
scaitheamh fada idir dhá chomhairle faoina dhul ó dheas,
ach ba é an cupán tae sin a fuair sí seachtain is an lá inniu
an t-aon tamhnóg ba léir di ar a gaineamhlach. Níorbh
íocshláinte go dtí cupán tae mar sin tar éis aistir. Théifeadh
sé go breá thú i dtús an lae, thar is a bheith ort fanacht go
dtí a haon nó a dó a chlog tar éis an mhargaidh agus na
siopaí, agus gan thú in ann é a ól an uair sin leis an ocras
agus leis an tuirse.

Ba ghearr soir i mbun an aird a bhí sí nuair a d'airigh sí carr asail ag toirnéis ina diaidh faoi stró mór. Carr as an gceantar tuaithe sin ar cholbha an bhaile mhóir a bhí ann agus é luchtaithe le gach uile bhrotainn slí: fataí, cabáiste, meas talún, ciseán, ancard bainne. Is é a raibh ar an gcairrín bean aonraic agus í gróigthe amuigh ar an gcorr tosaigh, a cosa urrúnta ar sliobarna agus gach re snaidhm aici ar chairrín an asail, á chinnireacht in aghaidh an aird. Fhobair do Bhríd marcaíocht a iarraidh uirthi. Murach go raibh an oiread ar aire na mná féin i gcosúlacht is nach raibh ionú aici aighneas dá laghad a chur ar Bhríd, ná oiread is breathnú uirthi amháin.

Ansin tháinig carr asail eile as an gceantar céanna amach ina haghaidh, tar éis aistear bainne na maidine a fhágáil sa mbaile mór. Níor chall broid ar bith a chur san asal: bhí bogshodar aige uaidh féin. Bhí bean ina suí ar thóin stainnín fholaimh. Bean phléascánta ghéagach a bhí inti, snua a codach uirthi agus í i mbruach a daichead bliain. Ainneoin go raibh allas léi agus saothar inti de bharr chroitheadh an chairrín, b'fhurasta a aithint uirthi go raibh sásamh intinne aici agus a cion de shó an tsaoil. Ní raibh aithne shúl féin ag Bríd uirthi, ach chuimhnigh sí ar an toirt ar bhean Pháid Concannon, an bhean a phós sé tar éis é a eiteach fúithi féin . . . Bhí 'jaunt' eile ag teacht. Tháinig fonn cráite uirthi breathnú ina diaidh ach ní ligfeadh an náire di ina dhiaidh sin. Seán Choilm a bhí ann. D'aithin sí a 'hup' grúscánach sular tháinig sé chomh fada léi chor ar bith. Níl baol ar bith nach dtógfadh sé í, arae cé go raibh ceathrar aige bhí sí cinnte nach gcomhairfeadh sé go mba éagóir ar an gcapall duine a chur ar an gcrannóg, scáth a raibh den aistear roimhe anois. Ach scoith sé í gan cur chuici ná uaithi . . . B'iontas le Bríd é a fheiceáil ag dul an bóthar ó thuaidh. Agus chuimhnigh sí gur inis sí do Cháit Cheaite, a bhí ar an 'jaunt' aige, cá raibh an bhean a choinnigh an seifte uaithi féin seachtain is an lá inniu. Bheadh Cáit sách aigeanta le rud ar bith a dhéanamh.

Ach ní raibh sí baileach in ucht an aird mhóir an uair a chuala sí 'jaunt' eile ag teacht ina gheamhshodar. D'fhéach sí ina diaidh dá buíochas agus gheit a croí. Peaid Neachtain a bhí ann. B'iomaí goradh maith a thug sé dó féin ar a teallach ó thosaigh airneán na gcártaí, cé nach bhfaca sí anois é le dul chun coicíse. Agus ní raibh aige ach triúr. Níor mhórán le gurbh fhiú di an mharcaíocht anois, agus gan roimpi ach corradh agus míle Éireannach go dtí an Bóithrín Buí. Ach b'fhiú ina dhiaidh sin. Ba é an míle sin ba mheasa, arae bhí an t-ard fada agus marbh. Bhí an capall ionann is lena hais anois agus í ag claochlú sa siúl in ucht an aird. Ní dhearna Peaid filleadh ná feacadh ach fadhb a thabhairt di, an srian a chroitheadh agus an capall a shíneadh nó gur scoith sí Bríd sna seala babhtaí suas an t-ard. Fhobair di titim ar áit na mbonn. Ní chreidfeadh sí é, murach go ndearna feiceáil fírinne. Ná ní cheadódh sí ar éadáil anois gur bhreathnaigh sí ina diaidh . . .

Shnámh Bríd léi soir in aghaidh an aird. B'éigean di an seál a tharraingt aniar uirthi féin, arae bhí an brádáinín báistí ag dul isteach léi. Cé go raibh an ceo ardaithe, bhí an duifean i mbun na gaoithe agus ba é a chosúlacht go dtosódh sé ag gleadhradh pointe ar bith. Bheadh sí ina bogshifín faoin am a mbeadh a seifte dá lámha aice, a cuid bagáistí agus teachtaireachtaí ceannaithe agus í faoi réir le cupán tae a ól sa teach itheacháin . . . Agus ansin b'fhéidir go mbeadh moill uirthi ina cuid éadaigh fliuch sula bhfaigheadh sí carraeir a thabharfadh marcaíocht abhaile arís di . . .

Shroich sí mullach an aird ag Coill an Choláiste faoi
dheireadh agus faoi dheoidh. Bhí sí i bhfíorchluasa an
bhaile mhóir anois, na tithe móra áirgiúla ina haice, na
sráideanna colbha scaithín soir, agus gan an Bóithrín Buí
ach ceathrú míle uaithi. Agus ní raibh roimpi ach fánán
isteach go slata an bhaile mhóir. Leag Bríd an cliabh sa
gcailleach a bhí sa sconsa ard. Chaithfeadh sí a bróga a
chur uirthi. Chúns a bhí sí ag dúnadh na n-iall bhí sí ag
cuimhniú arís ar an gcupán tae a gheobhadh sí, agus ar an
aistear agus ar an anró a choiscfí di, dá mbeadh i ndán is
go gcoinneodh bean an 'Pheeler' a cuid seifte. B'fhéidir do
dhuine eicínt eile a bheith ann roimpi. Ach ní móide. Nach
mairg gur chaintigh sí le Cáit Cheaite chor ar bith air. Bhí
'pláibistéaracht' an tsaoil mhóir ag Cáit chéanna. D'fhéach-
fadh sí é ar chaoi ar bith ar an gcéad iarraidh in Éirinn,
ainneoin go mba farasbarr maith ar a haistear é mura
n-éiríodh léi ach bonnaíocha. Ní raibh gar dá mhoill.

D'fhill Bríd an t-éadach siar d'éadáil an chléibhín ar
fhaitíos nach raibh gach uile shórt ar deil. Bhí an meascán
ime ina luí chomh soineanta scéimhiúil le Cóitín Luachra
an tráth ar dhúisigh an Ridire Gaisce as a codladh í.
Monóg uisce i lorg an phrionda agus an t-im tacúil téagr-
ach ní hé fearacht is an phráib a dhéanadh im an tsamh-
raidh é. Bhain sí an tuí agus na páipéir de na huibheacha
agus chomhair sí arís iad. Bhí siad ansin—trí scór acu—glan
sciúrtha suáilceach: cuid geal, cuid buí, agus cuid gléghorm.
Ainneoin nach raibh aon chóiriú ar leith aici orthu,
b'fhurasta a aithint di uibheacha gach circe. Ubh na heireoi-
gín léithe. Ubh na circín roillí: an ubh gheal a bhí ionann
is ina bogán. Agus uibheacha na coc-chirce: na huibheacha
móra buí ar nós uibheacha lachan a raibh sí chomh dúlaí
iontu agus ar shantaigh sí corrcheann acu a chur síos di

146

féin ó tháinig Seascach na gCearc, murach nár mhaith léi
a dhul á dhéanamh ar chúla téarmaí. B'ait iad na cearca
bochta, go lige Dia slán iad. Ach murach an ghiollacht a
bhí siad a fháil is fadó a bhí siad i ndeireadh a líne. D'fhill
Bríd suas na huibheacha arís agus dheasaigh sí an tuí ina
dtimpeall. Chuir sí an t-éadach anuas orthu agus bhí sí
faoi réir le himeacht an athuair . . .

Bhí sé éirithe as an mbrádán anois agus an t-aer glan ó
smúit. Agus soir ó dheas uaithi chonaic sí an ghrian ag cur
scolb ar chrotal dorcha dúshlánach de néalta ceo agus
báistí agus ag brúchtadh amach tríothu ina háille éadrachta,
nó go ndearna a scalán seoda de dhuille deorach na coille
agus de bhraonacha báistí an bhóthair. Ba gheall an t-éirí
sin le buinne bruach caithréime don ghrian tar éis di ton-
náiste, guais, easonóir agus anró a shaothrú agus a shárú
trí chríocha dorcha domheanmnacha doghluaiste na hoíche.
Thug Bríd súil ina diaidh siar an bóthar. Súil siar ar na
naoi míle fhada fhánacha sin a rinne sí as deargstrócántacht.
Chuimhnigh sí go gcaithfeadh sí iad a dhéanamh arís agus
arís agus arís eile. Iad a dhéanamh nó go mbeadh gialla
sceirdiúla aici agus géaga tarraingthe agus faghairt ina
súil. Ach bhí siad déanta aici inniu agus b'údar dóchais é
sin. Bhí borradh ina cuisle agus ceol ina croí. Bhí sí spreacúil
spleodrach. Bhí meanma óighe an mhiolghaire ina hintinn
agus ba speal tar éis faobhair ar bís lena dhul sa mbá a
colainn. Bhí sí faoi réir arís lena dhul faoina cuid de bhró
mhuilinn an tsaoil. Chuir sí a lámh ar iris an chléibhín
ime . . .

147

An Bhliain 1912

'An trunc.'

Ainneoin a réchúisí agus a dúirt an mháthair an focal, bhí dubh na fríde den bhundún lena aithneachtáil ar a glór. Ní ghabhfadh sí don Ghealchathair ag ceannach an trunc, seachtain go Satharn seo a chuaigh thart, in éindigh lena hiníon. Ná níor lú dar léi an sioc ná an stiúir a bhí air ar feadh na seachtaine, gróigthe mar bheadh íol adhartha ann ar dhroim chomhra na cisteanaí, agus spraoi an domhain ag na páistí á oscailt, á dhúnadh agus á dhearcadh. Ní bhfaigheadh sí ina claonta a dhul ag cur múisiaim ar an iníon an tseachtain deiridh. Murach sin bheadh sé craptha siar sa seomra agus isteach faoin leaba aici ó thús. Ach má bhí oiread eile d'fhonn ar an iníon an ball éadálach sin a bheith go feiceálach i bhfianaise na cóisreach a bhí cruinn anocht, rinne an mháthair an rud ba bhreá léi féin i dtús na hoíche, ó tharla go raibh contúirt bhriste nó lioctha ar an trunc san áit a raibh sé. Ba bhall dóite, ba cholm bolgaí ar scéimh a saoil é a fheiceáil anocht go háirid, ó b'annamh léi oíche chroídhílis a bheith faoi chaolacha a tí. Ní raibh ina dheiseacht agus ina fhóint uile go léir ach ciméara draíochta le céadcheap a broinne agus fios fátha a saoil a fhuadach uaithi, go díreach agus an t-ól, an mheanma, an ceol agus an siamsa ag dul go barr bachall. Seacht seachtaine ó shin, sular tháinig an phaisinéireacht, bhí sise chomh beophianta ag fuireacht léi is a bhí Máirín. Níor chuid iontais léi a hiníon féin a fheiceáil ag dul go Meiriceá

ach an oiread leis an ochtar deirfiúr arbh é a géarchuimhne
cuid acu a imeacht ann. Idir ord agus inneoin an tsaoil
múineadh dise lena croí a cheansú agus a gean máthartha
a chriogadh i ngreim scóige mar a bhí ag Éabha a dhéan-
amh le nathair na hAithne. An phaisinéireacht a chuir an
chríonach trí lasadh arís. Agus mar bheadh teangacha
feasa ann ó chéadfaí scoite, bhí lasracha as dóiteán a croí
ag goradh chiall agus réasún a hintinne agus ag ligean feasa
léi go mba mheasa an imirce ná creachadh teampaill agus
ná bánú tíre . . . Ach ní raibh cluas bhodhar le tabhairt do
stoc na cinniúna ní b'fhaide. Bhí an lá gealta. Patch Thomáis
imithe faoi choinne an 'jaunt'. Mire scréacha tar éis a
theacht sa siamsa thíos sa gcisteanach bheag phlúchta, mar
bheadh fuíoll áir cine a raibh an díobhadh i ndán dóibh
lá arna mháireach ag cur barr drabhláis driopásach
dheireadh oíche ar a mbigil ollghardais. Níorbh fholáir do
Mháirín a bheith ag téisclim . . .

Bhí coinneal leathphingine ar choimhrín le balla an
tseomra agus smál uirthi de bharr an gheoladh gaoithe a
bhí isteach faoi chorr an pháipéir ar phlána briste na
fuinneoige. Bhí doimhneacht, draíocht agus diamhaireacht
duibheagáin dhochuimsithe sa mbleánach sholais a bhí
eitealadh na coinnle a thál ar chnapáin phráis an trunc.
Níorbh ar an toirt a d'fhéad an mháthair cuimhniú cá
bhfaca sí cheana gné bhuíochta chaillte an adhmaid:
snua coirp tar éis tórraimh fhada aimsir mheirbh. Agus ní
ligfeadh an col di breathnú isteach sa trunc sin anois ach
an oiread is a ligfeadh sé di féachaint ar chorp i gcónra,
tar éis gur thug sí obainn ar sin a dhéanamh go minic.

'Bhfuil chuile shórt a'd?' a deir sí leis an iníon, gan ligean
dá súile lonnú ar an solas. Bhí gach uile shórt ann: caorán
móna, sceallóg den tinteán, dlaíocha gruaige, mogall

seamróige, ainneoin gurbh é an fómhar a bhí ann, stocaí glas caorach, glac dhuilisc, balcaisí éadaigh agus páipéir a bhain leis an iomlacht anonn. Thóg an iníon a bróga, a cóta, a hata agus a gúna amach as an trunc agus leag sí ar an gcoimhrín iad lena gcur uirthi. Le seachtain, ba mhinic uirthi iad sa ngeadán céanna, ach níor thaobhaigh an mháthair riamh í agus chuaigh sí go bog agus go crua uirthi i dtús oíche anocht gan a gcur uirthi go maidin.

Dhún an mháthair an trunc arís, agus chaith sí súsa na leapa anuas air 'lena choinneáil glan'. B'fhada faitíos uirthi, ach a mbeadh an iníon in éadaí Mheiriceá, go mbeadh an coimhthíos céanna aici léi a bhí leis an trunc. Bhí Máirín ina boinn agus í nochta, cé is moite de léinteog fhada gheal a bhfuair sí tiaráil mhór uaithi á deisiú uirthi ard-tráthnóna agus nach raibh aon rún aici a baint di arís go mbeadh sí in áras duine mhuintearaigh ar an talamh thall. Lena feiceáil mar sin, ba gheall le brionglóid óna hintinn féin í: an t-aon bhrionglóid a raibh a céadsnua scéimhiúil buan fós. Brionglóid go mba chruth di goltraí bhinn Chrann na Beatha, go mba dhealramh di snua meangach Úll na hAithne: céadiompar agus céadabhras máthar. Bhí an iomad rud ar bharr a goib aici le rá léi: na rudaí teanntásacha ceanúla a bhíos i dtaisce i gcroí máthar, mar bheadh bradán a beatha ann, ón uair a n-airíonn sí gin bheo faoina broinn nó go bplúchann an lóchrann síoraí smearsholas an tsaoil.

Le mí anuas, is iomaí rud a dúirt sí leis an iníon ina sceidíní i bhfad ó chéile . . . Nár mhiste léi dá n-imíodh a raibh sa teach ach Máirín fanacht . . . go n-aireodh an teach í, ach í féin go háirid . . . go mba í an duine ba lú a bhfuair sí anró uaidh de na páistí í . . . go mb'ait í in aice tí. Ach

ní raibh iontu sin ach an screamhóg mhullaigh. Bhí sí
mar bheadh bean choimhdeachta ann a scorfaí an bráisléad
a bhí sí a chur faoi bhráid na banríona agus a mbeadh a
cuid liaga lómhara scaipthe anonn agus anall, i gcontúirt
a dtaltaithe agus a millte. Ba gheall le neach naimhdeach
di a bheadh ag scagadh a cuid cainte agus ag cur treampán
uirthi an rosc a chur di a mhaolódh docht a croí. Bhí a fhios
aici nach raibh aon ghair aici go héag na rudaí a bhí ar a
hintinn a rá i litir a mbeadh sí i dtuilleamaí duine eile faoina
scríobh agus i dteanga a raibh a féith agus a cuisle ní ba
choimhthí di ná féith agus cuisle Shíogaí na Bruíne.
Drochshop críon in áit scuaibe beo an bhéil agus na súl agus
na gceannaithe a bhí i litir. Thraoithfeadh agus théachtfadh
fuarlach na hintinne agus rabharta an chroí sa scríbh-
neoireacht dhoicheallach.

Agus níor mhóide di Máirín a fheiceáil go ceann fada
fada. Bheadh a paisinéireacht lena íoc aici. Ansin paisin-
éireacht duine nó beirt den chlann, i dteannta riar a chur
abhaile. B'fhéidir go mba thúisce a d'fheicfeadh an páiste
a bhí faoina broinn í ná í féin. An dá mhar a chéile a bhí
sa gcóta Meiriceá agus sna taiséadaí go hiondúil. Ní raibh
sa 'céad slán di' a déarfaí feasta, agus daoine ag caintiú ina
hainm uirthi, ach taobh bun os cionn de 'bheannacht Dé
lena hanam'. Ba mhinic páistí ag déanamh cíor thuathail
den dá leagan sin. Agus an tráth a gclaochlaíodh an
'céad slán' ina 'bheannacht Dé' dáiríre, ba chlaochlú gan
chóiríocht gan chróchar, gan chás gan chaoineadh é.
Na taiséadaí féin ní bheadh ag máthair sa mbaile lena
mbaint as a bhfilleadh anois agus arís mar réidhe an achair
dá brón, ná ainm agus sloinne ní bheadh ar réchláirín i
gcill cois Caoláire do na glúine a thiocfadh. Scríobfadh
an t-iomlacht—an domhnaíocht seiscinne fuaire sin—an

t-ainm de ghinealach an chine. Mar na géabha fiáine a bheadh a himeacht.

Ach cé go raibh na smaointe sin mar thaos nimhe in intinn na máthar, ní ligfeadh sí lena hais nach bhfeicfeadh sí go deo an iníon. Bhí a ciall agus a réasún ag inseacht di nach bhfeicfeadh, agus a croí, a dóchas agus a misneach ag rá a mhalairte. Agus ba dá croí a thug sí cluas. Ach bhí a fhios aici ach a bhfeiceadh go mba bheag ab ionann í is an gearrchaile sóntach, tíriúil a bhí anois in aois a naoi déag, agus gile a dealraimh fearacht snua gréine maidine ar mhala cnoic i dTír Tairngire. Bheadh domlas ar a béal ó chaora Chrann an Mhaith agus an Oilc. Bheadh easóg dhorcha na gangaide ina croí. Nathair shleamhain na céille ceannaithe ag snámh ina hintinn. Faghairt na cruach fuaire ina ceannaghaidh. Canúint ar a cuid cainte, ar nós fuíoll díoltais leasmháthar. Mar sin a bhí na Poncáin uilig. Níor mhór di í féin a fhoilsiú di anois, mar d'fhoilsíodh máthair amhais na huachaise í féin dá clann san am go mba chúrsaí báis agus martraithe gach geábh dá dtugtaí ag sireoireacht bídh. Í féin a fhoilsiú di chúns nach mba dhíol magaidh léi fós a cuid seanórtais agus aineolais féin agus nach raibh díchreideamh ná dochreideamh na hiníne ina bhádhún idir a dhá n-intinn . . .

I ndar léi féin, ní raibh tionscailt ar bith ab fhearr ná an t-airgead. Tharraing sí sparán éadaigh as a brollach, bhain sí as a mbeadh de mhionairgead ag teastáil ón iníon sa nGealchathair, agus ansin shín sí chuici é. Chuir an iníon an sparán faoina muineál agus dheasaigh sí go maith ina brollach faoin scaball é. 'Fainic anois, a leanbh, nach dtabharfá aire mhaith dó,' a deir an mháthair. 'Ní móide go dteastódh sé chor ar bith uait, ach mura n-éirí obair leat go tráthúil ba mhór an ní duit a bheith i gcleithiúnas aint

Nóra agus an mhuirín atá uirthi féin. Coinnigh an súsa deasaithe i do thimpeall go maith ar an soitheach. Ná taobhaigh aon duine mura i ndán is go mbeidh duine aitheantais ann go díreach. Beidh leat ach a sroichfidh tú chomh fada le tigh Nóra. Má chaitheann tú pá bheag féin a thógáil, ná cuir thar d'fhulaingt thú féin ag obair . . . Tabharfaidh tú cuairt abhaile faoi cheann chúig bliana. Bhuel, deich mbliana ar a fhad . . . Ní féidir duit nó beidh pingneacha beaga agat an uair sin . . . Mo . . .'.

Tháinig a cuid spleodair léi ar sheol na braiche go dtí sin. Ach ar an dá luath is ar shíl sí an screamhóg mhullaigh a bhriseadh níor fhan focal den chaint aici, ach staidhce a dhéanamh ag féachaint ar a hiníon. A lámha ag sméaracht le cruinniúchaí a naprúin. Luisne a raibh an gáire agus an gol ina lánúin léanmhar inti ina grua. Leathleiceann léi ní b'fhaide ná an leiceann eile i gcosúlacht. Roic chrotacha ag cruthú go hanróiteach ina baithis, mar bheadh eochracha ann ag coraíocht le glas. Bhí an iníon i ndáil le réitithe anois agus d'fhiafraigh sí 'cá raibh na pingneacha beaga a theastódh uaithi sa nGealchathair?' Leis an ruibh chainte a bhí ar an máthair roimhe sin níor lig an dearmad di an spaigín a fháil agus a gcur ann. Ar iontú thart di anois le dhul ina choinne bhuail an oiread anbhá í agus nár chuimhnigh sí go raibh an t-airgead i gcúl a glaice nó gur thit sé uaithi ina sprus ar fud an urláir. Ba é an rún a bhí ag an máthair ó thús fuireacht go dtagadh déantús ceart cainte ina teanga; ansin an mionairgead seo a sheachadadh dá hiníon mar thoirbhirt naofa, í a phógadh agus a dheornadh . . . Ina leaba sin coilleadh a Soitheach Naofa as a láimh . . .

Ag cur spaigín an airgid i bpóca a cóta di, mhothaigh an iníon clúdach litreach ann. 'Dlaoi de do chuid gruaigese, a mhama,' arsa sise. 'Shíl mé gur chuir mé sa trunc í in éindigh—leis an gcuid eile.' Chuir sí an dlaoi dhubh idir í agus an choinneal agus thláthaigh a dhá súil ghorma nó go raibh siad mar shúile páiste. Tháinig fonn uirthi rud eicínt a rá lena máthair ach ní raibh a fhios aici go barainneach cén rud. Bhí a cuid smaointe ag sméaracht fúthu agus tharstu mar bheadh aineolaí ar eanach caochphollach oíche dhubh. Níor mhór don bheirt a bheith ar aon leaba, an solas a bheith múchta, agus ga gealaí isteach tríd an bhfuinneoigín mar bheadh maide milis ann leis an teanga a bhealú. Bhreathnaigh sí idir an dá shúil ar an máthair, féachaint an bhfaigheadh sí ugach ar bith uaithi, ach níorbh fheasach di go raibh a máthair mar bheadh cnoc ann a mbeadh tormach chéatach ina chrioslaigh, tar éis nach raibh an tine in ann aon scolb a chur ar a fhorscreamhóg thinn theangmháilte . . .

Chuir an iníon an cóta scagach scanraithe agus an hata caisealmhór uirthi. Ba chuid de na cóirithe catha, dar léi, seal fada a chaitheamh ag deisiú agus ag athdheisiú an hata, ainneoin nach raibh goic áirid ar bith ba mhian léi a chur air. Níor chuimhnigh sí riamh nár bharr slaicht uirthi a mhéad agus a chrotaí is a bhí a chaiseal, ná go raibh buí a bróg, dubh a hata agus rua a cóta fearacht tríonóide mallaithe datha a bheadh ar thí scéimhe a ceannaghaidh ghil snuaúil. Ach bhí sí faoi réir: hata agus cóta agus bróga ísle agus láimhainní 'lady' uirthi—le fanacht uirthi níos mó. Bhuail an oiread coimhthís agus iontais í is a bhuailfeadh féileacán ar mhothachtáil dó an chéad uair go raibh sé tar éis géaga craiplithe an spigneanta a sceitheadh agus go raibh fairsinge dhochoimsithe dho-bhacainneach an aeir inseolta aige lena chuid sciathán scolbánta. Mhothaigh sí ina cheann sin páirt d'aeraíl agus d'uabhar an fhéileacáin . . .

Nó go raibh an glas ar an trunc níor chuimhnigh an mháthair nár chuir sí aon cheo de mhaith na circe ann, ná i mbalcaisí na hiníne ach an oiread. Ach ní iarrfadh sí a dhul ag baint an ghlais de anois ar bhás an domhain. Dá dtosaíodh a hiníon ag séideadh fúithi nó ag samhailt pisreog léi an mhaidin sin, ba bheag é a hacmhainn thar is riamh. Chroith sí scaird uisce choisricthe uirthi agus an fhad agus a bhí sí ag cur an chleite sa mbuidéal arís bhí an iníon imithe síos go lúcháireach ar lom an urláir lena culaith Mheiriceá a thabhairt le taispeánadh.

Ní raibh an 'jaunt' ar fáil fós. Bhí gleadhradh damhsa ann agus Tom Neile de ghuth phóitiúil ag gabháil *An Triúr Mac* sa doras dúnta, ainneoin go raibh sé ag plúchadh an cheoil:

'Is iomaí forrá-á-nach breá-á-á lúfar lá-á-á-á-idir
A théanns thar sá-á-á-á-á-ile a's nach bhfilleann
                                        choí-í-chin.'

'Déan go réidh leat féin,' arsa an mháthair le Tom. Ach thabharfadh sí cuid mhaith ar an ala sin dá mbeadh fonn aici mar a bhí ag Tom, leis an ualach a bhí ar a croí a chur amach de ina shile cheoil. Bhí na gearrchailí cruinnithe timpeall ar an iníon arís, ag fáil caidéise dá feisteas, ainneoin go bhfaca siad é go minic le seachtain. Ní raibh gair ag an máthair í a thaobhachtáil acu. Dar léi, ba bheag acu ding a chur sa nádúr, nárbh éagóraí de mhórán ná é an ding a bhí an tseiscinn mhór fhuar a chur ann. Ag ceiliúr faoi Mheiriceá a bhí na mná óga. Ag ceiliúr faoin saol a bheadh acu abail a chéile ar fad i South Boston go gairid, mar ba dhual do chine arbh é trunc Mheiriceá a n-aingeal coimhdeachta, arbh í an long imirce a réalt

eolais agus arbh í an Fharraige Mhór a Muir Rua. Mheabh-
raigh Bidín Johnny di iarraidh ar a col ceathrar dlús a
chur lena paisinéireacht. Dúirt Judeen Sheáin, ar a bhfaca
sí riamh, a inseacht do Liam Pheige faoin spraoi a bhí ar
thórramh shean-Cháit Thaidhg.

'Seachain nach n-inseá do Sheán se' a'inne go bhfuil
Garraí an tSléibhe faoi fhataí arís i mbliana a'inn,' a deir
Sorcha Pháidín. 'Dúirt sé ag imeacht dó nach dtiocfadh
aon duine ar an gcine arís go deo ó d'imeodh sé féin a
bhuailfeadh faoina chur, bhí sé chomh deacair sin.'

'Abair le mo bhuachaillse, a Mháirín, gur gearr go mbí
mé anonn chuige,' a deir Nóra Phádraig Mhurcha de
chogar a chuala na gearrchailí ar fad.

'Dar príocaí, ní bheidh sé i bhfad go mbaine mise
aithinneacha as leacacha South Boston,' a deir scorach
fionnrua ar chuir an t-ól ruibh na cainte air.

'Go bhfóire Dia ar an dream a chaithfeas fanacht sa
mbaile,' a deir sean-Séamas Ó Curráin.

Bhí an fuisce ag dul timpeall arís. 'Ara seo, b'fhearr duit
blaiseadh dó,' a deir an fear roinnte—Peaitsín Shiubháine
—agus bhí sé ag tónadh na gloine ar Mháirín, nó gur
dhóirt sé steall de ar a cóta leis an gcreathadh a bhí ina
láimh. 'Ní dhéanfaidh lán do bhéil lá dochair duit. Maidin
chrua í ar jaunt. Dheamhan is móide deoir phoitín a
d'fheicfeá le do lá arís.'

Bhí meacan ina ghlór, arae bhí sé ag cuimhniú ar
sheisear iníon leis féin a bhí 'thall'—duine acu le cúig
bliana déag agus fiche—agus gan aon súil aige a bhfeiceáil
go brách . . . 'Ólfaidh mé féin mar sin í. Do shláinte agus
go dtuga Dia slán go ceann cúrsa thú, a Mháirín.'

Ba bheag an lua ag Peaitsín—ná sa gcás sin ag aon duine
dá raibh ar an gcóisir—cuimhniú ar 'Go seola Dia abhaile

arís í' a chur d'agús sa méid sin. Faoi cheal an oiread sin
d'fhios a labhartha a bheith orthu spréach an docht tine
a bhí sa mháthair.

'Ní fheicfidh tú cúig bliana ó inniu go mbí sí abhaile
arís,' arsa sise go mosánach.

'Go dtuga Dia di,' a deir Peaitsín agus Seáinín Thomáis
Choilm as béal a chéile.

'Agus pósfaidh sí fear airgid agus fanfaidh sí inár mbail
ar fad,' a deir Citín, deirfiúr do mháthair Mháirín, go
gealgháireach.

'Dheamhan mórán den rath a bheas agam in imeacht
chúig bliana,' a deir Máirín, 'ach b'fhéidir go bpósfá féin
mé, a Sheáinín, gan pingin gan bonn.'

Ach bhí Seáinín faoi seo craptha leis siar go doras dúnta
agus é ag stolladh cainte d'fhonn magadh na ngearrchailí a
ligean thairis.

'. . . Ná bíodh aon chanúint ort ar chuma ar bith,' a
deir buachaill óg de chol ceathrar léi, 'agus ná bí ag
"guessáil" fút agus tharat mar bhí Mícheáilín Éamainn
nár chaith ann ach dhá mhí agus a tháinig abhaile trasna
na ngarranta agus leathghine agus veist nua aige de bharr
a aistir.'

'Ná ag fiafraí "what's that, mammy?" nuair a fheicfeas
tú an mhuc.'

'Cuirfidh tú mo phaisinéireacht chugamsa ar chuma ar
bith,' a deir Mairéad, an iníon ba ghaire do Mháirín agus
splanc ag rince i mac eilmistín a súl.

'Agus chugamsa,' arsa Nóirín, an deirfiúr eile arís.

Ba deich mbliana de ghiorrúchan saoil ar an máthair
dilleoireacht na beirte sin. Bhí na blianta moille dá gcarnú
ar chuairt a hiníne, mar charnaítear na sluaisteoga créaf-
óige ar chónra. Agus bhí lá cairde na cuairte sin ag féithiú

uaithi siar—siar go Lá an Bhreithiúnais. Toradh a broinne
féin ba naimhdí leis an máthair ar an ala sin.

Chuir sí Máirín ag ól tae an athuair, ainneoin nach raibh
sí ach tar éis éirí uaidh go gairid roimhe sin. Ach theastaigh
uaithi ligean a fháil uirthi arís. Níor mhór di arán a bhearnú,
comaoineach sláin a dhéanamh agus caidreamh agus
comhar teanntásach an tsuipéir dhéanaigh a shnaidhmeadh
lena hiníon. Déarfadh sí léi gan frapa gan taca nár chreid
sí go mba é an lón imeachta seo lón a báis chomh fada is
a bhain sé leis an mbaile: go dtiocfadh Cáisc roimh an
mbreithiúnas. Ach níor fágadh eatarthu féin é. Bhrúigh a
deirfiúr Citín, a clann iníon agus cuid de na gearrchailí
isteach chuig an mbord a bhí leis an mballa nó go raibh
Máirín faoina mullóg féin acu gan mórán achair.

Ní raibh aon dúil i mbeatha ag an iníon. Bhí luisne na
splaince ina ceannaghaidh: tnúthán, anbhá, iontas agus
beophianadh a hintinne á n-ionchollú féin ina grua. An
Ghealchathair an t-achar ab fhaide ó bhaile a bhí Máirín
riamh. Ach ba sheanchas faoi Mheiriceá an chéad bhia sa
sliogán di. Ba ghaire go fada do chomhlaí a tuisceana agus
a samhlaíochta South Boston, Norwood, Butte Montana,
Minnesota, nó California ná Baile Átha Cliath, Belfast,
Wexford, ná go fiú is áiteacha nach raibh thar chupla míle
ar thaobh an Achréidh den Ghealchathair. Fuineadh agus
fáisceadh a saol agus a smaointe as cáil Mheiriceá, as
saibhreas Mheiriceá, as siamsa Mheiriceá, as fonn cráite a
dhul go Meiriceá . . . Agus ainneoin go raibh cumha uirthi
an baile a fhágáil anois, níor chumha é gan an gliondar, an
dóchas agus an t-iontas a bheith ina orlaí tríd. Faoi dheir-
eadh thiar bhí sí ar thairseach na Brúine Draíochta . . .
Farraigí uafásacha, slata seoil, soilse greadhnacha, sráid-
eanna ar dhath an airgid, daoine cróna a raibh loinnir an

daoil ina gcneas, ag cur in éagruth cheana féin uirthi gort, sliabh, carraig agus caoláire.

Ní raibh ina hintinn ar feadh na hoíche ach cleitheog thaisce a dtoillfeadh uairleacháin chuileáilte a cuimhne inti, nó go bhfaigheadh sí ionú ar a dteilgean amach sa mbruth faoi thír feadh is í ag seoladh. De bharr chomh neamhairdiúil is a bhí sí anois thug sí cead í féin a chinnireacht amach ar lom an urláir ag damhsa, ainneoin go raibh sí i bhfeisteas Mheiriceá agus eile. Ach ní bhfaigheadh sí óna claonta Pádraigín Pháidín a eiteach ar aon chor. Chuir sí scrúdaí uirthi féin anois faoi gur fhág sí an fhad sin é gan é a thaobhachtáil. Bhí sí buille támáilte as tosach an damhsa, ach chuaigh fíor an cheoil—an ceol sin ar cuireadh comaoin air sa mbruíon féin—faoina cuisle; agus gan mórán achair ní raibh de shamhail aici ina gléas breac ballach ach os fuiliúil cuideáin a mbeadh miolghairí an tréada ag macnas ina timpeall le cur faoi deara di a gaisce agus a tréathra a thaispeáint, chúns a bheadh na fundúirí ina suí faoi gcuairt ag cur a gcomhairle i dteannta a chéile. Ag smaoineamh a bhí an mháthair ach a bhfeiceadh sí arís í go mbeadh eolas doscúch an tsaoil ina bhró mhuilinn ar an meanma dhamhsa sin. I leaba an reacht fola boirbe a thug do ligean a géag a bheith ar spéiriúlacht réalta, bheadh sceidín liathuisce na haoise agus na céille ag greamú a cnámh ceansaithe don chréafóg.

Ach ina dhiaidh sin agus uile níor dá hiníon ba mhó a thug an mháthair suntas ach do Phádraigín Pháidín a bhí ag damhsa léi. Bhain sí abhras as an scéal ar an toirt. B'fhurasta a aithint é. Níor mhóide don bheirt focal a rá riamh le chéile faoi ghrá. Níor mhóide gur dhúirt siad focal anocht. Agus ní móide go n-abróidís focal go brách. Ach thuig sí go bpósfaí i South Boston iad, má ba faoi

cheann bliana, cúig bliana nó deich mbliana ó inniu é . . .
Bhí sí splanctha. Sin é an cuthach damhsa a bhí ar Phád-
raigín. An rud a bhí cinnte uirthi féin a rá lena teanga bhí
seisean á rá as damhsa. Bhí a chosa agus a cholainn ag
cumadh rídháin a raibh snafach agus síneadh, cumas agus
cáilíocht ag teacht faoi i leaba a chéile, nó gur bhain lasc
dá bhróg thairní aithinne ghreannta as leac an teallaigh
ar aon bhuille le nóta deiridh an cheoil. Déarfadh daoine
go mba shúgaíl óil é, ach bhí a fhios ag an máthair nárbh
ea. Ba bhailchríoch dáiríre an aithinne sin: buille scoir dé
ar chaithréim iomlán. Agus ar an dá luath is a ndearnadh
a shamhlú leis thosaigh sé ag gabháil fhoinn gan a dhath
mairge, ainneoin go raibh saothar an damhsa fós ann. Níor
fhan aon aird ag an máthair ar an iníon ach ag éisteacht
leis:

'Tá'n gairdín seo in' fhásach, a mhíle grá, agus mise
liom féin,
Níl toradh 'bith 'fás ann, bláth na n-airní ná duilliúr
na gcraobh,
Ní chluintear ar an tsráid seo guth cláirsí ná ceiliúr
na n-éan
Ó d'éalaigh mo ghrá uaim, craobh álainn, go Caisleán
Uí Néill.'

Gearrcach dé óig ag iarraidh scolb a chur ar chrotal
cruinne a bheadh á chuibhriú: b'in é a dhíocas foinn.
Bhí an ghráin shíoraí ag an máthair faoi seo air. Neach
mallaithe i gcionn a ciste chirt féin a bhí ann . . .
    Airíodh úmacha capaill agus clascairt 'jaunt' ar an
mbóithrín amuigh. Scoir an ceol agus an siamsa d'aon
iarraidh, cé is moite de 'Óra, mhóra mhóra' Sheáinín

Mhic Thuathaláin a bhí sínte óltach ag an doras iata:
'Ar an taobh ó dheas de chéibh New York sea landáilfeas mé
thall.' Níor thóg Seáinín d'amhrán riamh ach an 'lúibín' sin.
'Ba féirín do Mheiriceá thú, muis. Múchadh agus bá ort
nach ar chéibh eicínt atá tú thar is a bheith i do scramaire
anseo,' a deir scorach a raibh sé ag cinnt air aon fhoighid a
chur ann.

'Tugaigí amach é sin agus ceanglaígí ar an jaunt é,' a
deir an mháthair, ach ar tógadh an trunc anuas as an seomra
agus ar gróigeadh mar bheadh lao óir ann ar an mbord é.

'B'fhéidir go mbrisfí é. Ná bacaigí leis,' a deir Máirín,
'go mbí mé féin faoi réir le dhul amach freisin.' Ba é an
trunc sin a cuid dindiúirí agus grámh le hata galánta a
bheith ar a ceann, le cóta gáifeach a bheith ar a droim i
leaba seáil. Dá uireasa sin ba dhiamhlasa é an feisteas
'lady'. Dá ligeadh sí as a hamharc é ar feadh ala an chloig
níor dhóide cleas do na baill fheiceálach sin ná seargadh
ina ngioblacha luaithe thuas ar a craiceann.

D'ionsaigh Máirín anois ag fágáil sláin ag an dream nach
raibh sé de láthar iontu í a thionlacan chomh fada le bóthar
an rí. Seanfhundúirí craiplithe a d'fhéad sméaracht trasna
na sráide ar éigin, agus nár dhóide dá bhformhór a dhul ar
aon chóisir arís go brách óna dteach féin amach. Ba é seo
an chéad sine den slabhra á roiseadh: an chéad rud dáiríre
a chuir i gcion uirthi a dhalba agus a dhoilí is a bhí an
scarúint. Pé ar bith céard a dhéanfadh dream ar bith eile,
bhí sí réidh le iad sin a fheiceáil go brách. Ainneoin a raibh
d'anbhá agus de dheabha uirthi, thug sí amharc tollta ar
gach duine acu i riocht is go mba lón dá cuimhne go héag a
gceannaghaidh agus a gcruth. Níor thit an drioll ar an
dreall ceart críochnaithe uirthi nó gur tháinig sí chomh
fada lena seanmháthair ar an tinteán. Bhí an oiread ceana

aici ar an tseanmháthair is a bhí ar a máthair, agus faras-
barr teanntáis. Agus ní raibh aici ach malairt. Gach uile
sheachtain dá n-éiríodh uirthi choinníodh an tseanbhean
brabach eicínt den phinsean le tabhairt di, pé ar bith
céard eile a bheadh ar deireadh. Smid ná smeaid ní raibh
ag an tseanbhean ach an oiread is dá mba mheall créafóige
í cheana féin. Agus go deimhin ba bheag nárbh ea, mar bhí
dhá dtrian di ag 'fear na coise caoile cruaidhe', agus an
trian eile ag fuireacht go mbeadh a háras faoi réir ag an
anachain chruógach. Bhí a béal chomh seasc le hadhmad
cónra úrdhúnta agus, murach sméideadh na bhfabhraí ar
éigin a thug dá cianfhéachaint cruinniú ná ba ghaire do
láthair, shílfeadh Máirín nach raibh a fhios aici beirthe ná
beo céard a bhí ar siúl.

'Ní fheicfidh mé go brách arís thú, a mhamó,' arsa
Máirín, agus meacan goil ag cur a cuid cainte as a riocht
faoi dheireadh agus faoi dheoidh. 'Tá Dia láidir,' arsa an
mháthair, buille stuacach. Ba theas agus téagar samhraidh
do Mháirín, tar éis sceirdiúlacht agus dúluachair an
gheimhridh, na páistí laga agus an naíonán a bhí sa
gcliabhán a phógadh ansin. Coisreacan céadfaí a bhí ann
ar chol na dtaiséadaí.

D'ardaigh an mháthair siar don seomra an athuair í.
Ach ba ghearr thiar iad san am a dtáinig Citín agus
Mairéad aníos ina mullach, go bhfaighidís a gcuid seál
lena dhul don Ghealchathair fré Mháirín. Leáfadh an
mháthair iad. Mura mbeadh a gcuid cunórtais b'fhacthas
di nach gcalcfadh an neascóid bhróin a bhí i mbéal a cléibh
arís. Níor fhéad sí a rá le Máirín ach go mba mhaith a
shaothródh sí é; go raibh súil aice go bhfaighidís aimsir
bhreá ar an bhfarraige; agus ar a bhfaca sí riamh a pictiúr
a thógáil thall agus é a chur abhaile.

'Mo leanbh 's mo lao thú,' arsa sise, agus scioch sí cuileoigín chlúmhaí de shlinneán an chóta agus bhain sí liocadh driopásach as bileog an hata, ach gur chuir an iníon a cóir féin air arís ar an toirt. Agus i ndiaidh smearamharc a thabhairt ar fud an tí bhí sí faoi réir lena imeacht.

Thosaigh an 'jaunt' ag tornáil leis go corrach ar bhóithrín aistreánach an bhaile agus an mathshlua, idir fhir, mhná agus pháistí, ina dhiaidh aniar. Ní raibh de shamhail acu ach cóisir íobairte: an 'jaunt' ar tosach mar charn losctha, púireanna tobac na bhfear ag cónaí in aer soineanta na maidine fómhair ar nós túisthoite, agus Máirín lena feisteas cuideáin agus lena ceannaghaidh lasúnta mar bheadh draoi na toirbhearta ann.

Shiúil an mháthair bonn ar aon leis an iníon agus thairg an súsa a iompar di, ach sciob Bríd Shéamais é agus d'iompair sí féin é. Bhí rún ag an máthair an iníon a bheith faoina mullóg féin aici den gheábh deiridh seo, ach chuaigh Citín agus Mairéad seo aici féin ina barr uirthi arís. Ansin bhrúigh na gearrchailí uile go léir ina timpeall, cuid acu ag sioscadh go gealgháireach, cuid acu a raibh an oiread cumha acu ina diaidh is nach bhfaighidís óna gclaonta mórán a rá, agus tuilleadh a raibh buaireamh orthu nach ina bróga nó ag dul ina bail a bhí siad féin. Ba láidir má d'fhan cumha ar bith ar an máthair anois, leis an bhfaltanas a tháinig aici don bhrotainn seo ar mhian leo a hiníon a scuabadh uaithi sula raibh sí oiread is as a hamharc. Bhí sí i bhfaltanas leis an 'jaunt' freisin. Bhí an oiread siúil faoi is dá mba 'fuadach géar 'na cille' a bheadh sé a thabhairt do chorp. Dar léi féin ba é an trunc a bhí gróigthe ar an gcrannóg agus finne déise ina chuid adhmaid faoi ghaetha na gréine óighe a bhí ag cur broide an bhuanaí sa gcapall. Níor fhan focal den chaint aici . . .

Bhí luisne mhoiglí ón ngrian nach raibh ach ina suí. Drandail gháire ar na críocha agus ar na clochair. An coinleach taltaithe sna póicíní fánánacha stalcánta, cosúil le mullach Shamson eicínt a mbeadh deimheas Delilah tar éis a dhul air. Gleoiteog a bhí i ndiaidh an chalaidh a fhágáil ag treabhadh scríbe gile le cóir siar an Caoláire. D'fhéach Máirín ar ais ar an teach ó Ard Aille an Chuilinn, arae bheadh sé féin agus caidhlín tithe an bhaile faoi gcuairt ó léargas uirthi ní ba mhó. Ba gheall le fáithim ghreamúis na hAimsire Caite agus na hAimsire Fáistiní an stráca dromannach, san áit a raibh díon úr na bliana anuraidh ag breith ar an seandíon dubh dreoite. Agus bhí gotha an tsuain ar an mbaile arís, ar nós is dá mbeadh sé gan a dhéanamh ach dúiseacht ar feadh ala an chloig le smugairle a theilgean sa bhfarraige mhór, go bhféadfadh an ghleoiteog cis ar easair a dhéanamh dó fúithi . . .

Sheas an 'jaunt' ag ceann an bhóithrín. Rinne na daoine bruscán cruinn i mbéal bhóthar an rí, i riocht is go mba ar éigin a bhí ligean ar bith ag an máthair ar an iníon. Bhí sí báite sna daoine. Ní raibh inti féin ach cloch éidreorach sa leacht. Ba é an cás céanna di é gan gaol ná páirt a bheith aici léi. Thar is riamh, ba mhór léi anois é do Chitín agus do Mhairéad a bhí le dhul don Ghealchathair le Máirín. Ar thionscailt don phógadh ba gheall iad na mná le dioscán sclamhairí ar thí creiche. Bhrúdar suas chuig a hiníon go míchéatach, d'fháisceadar a lámh, agus sciobadar póga uaithi i mbéal a chéile ar nós plód druideacha ar chosamar. Chroith na fir lámha léi go giorraisc cúthail, mar a bheidís ag rá gurbh é an t-aon chás amháin é, agus má ba rud é a bhí rompu go raibh ar eire acu é a chur díobh ar an dá luath is a d'fhéadfaidís. An cleas céanna a rinne Pádraigín Pháidín; ach, níorbh é fearacht na bhfear eile é, d'ardaigh sé a cheann oiread na fríde, nó gur bhraith an mháthair súile na díse i nglas ina chéile in imeacht ala an chloig . . .

Ba é uain na máthar é ar deireadh thiar. Níor phóg sí a hiníon ó a bhí sí ina páiste cheana. Ach chinn uirthi mórán de chumha ná de chrá a croí a chur sa bpóg, ainneoin go raibh a béal spalptha dá huireasa. Nár thug sí póg do gach uile dhuine? Nach bhfuair gach uile dhuine tús pógtha agus deornta uirthi uaithi féin. Póg fhuar leamh a bhí i bpóg na hiníne, ar nós is dá mbeadh an chlimirt bainte di ag gach is a raibh ag blaismínteacht cheana léi. Bhí a colainn fuar, freisin—fuar míthéagrach mar a bheadh síogaí ón mbruíon. Is éard a chuir an phóg ó rath ar fad uirthi nár fhéad sí súil a thógáil den trunc a bhí geall le ag cur cogair ina cluais: 'Ní fhuasclóidh aon bhéal saolta geasa póige an neach sí arb í a chluain an só, an fhánaíocht agus an dearmad; agus arb í a bhruíon an gréasán óir a fhíos mianta na hóige as na gaetha gréine ar na cnoic ghlasa i bhfad ó láthair . . .'

Bhí Máirín thuas ar an 'jaunt' anois. Mairéad ina suí lena hais, Citín ar an leathchaoin eile i dteannta an tiománaí, agus Pádraigín Pháidín ag daingniú an trunc eatarthu ar an gcrannóg. Don mháthair is éard a mheabhraigh siad— an trunc mallaithe, Mairéad a bhí ag tnúthán lena paisinéireacht ar luas, agus Pádraigín Pháidín a bhí ar bís a dhul go Meiriceá agus a hiníon a phósadh—tríonóid áibhirseoirí ag cur pioraíocha ar a céadghin agus ar a cuid den saol . . .

Bhí Pádraigín críochnaithe anois agus na daoine ag teannadh i leataobh le réiteach a thabhairt don chapall. D'ionsaigh na mná orthu ag snogaíl agus d'ardaigh an tsnogaíl ina huaill ghártha nach raibh de chumha inti ach an glór agus na deora, dar leis an máthair. Fiú is só an chaointe ina haonraic ní fhágfaidís aici féin féin. Agus níor ghoil sí deoir . . .

'Feicfidh mé thú roimh chúig bliana,' arsa sise, de ghlór neamhdhiongbhálta, agus ní bheadh aon ghair aici a súile a ardú ar shúile a hiníne ar bhás an domhain.

'Feicfidh,' a deir an iníon trína meacan goil den charr a bhí anois ag gluaiseacht. Ach dúirt croí na máthar chomh maith lena ciall anois nach bhfeicfeadh. Ba thúisce a d'fheicfeadh Pádraigín Pháidín í agus gearrchailí an bhaile agus a clann féin, go dtí fiú agus an leanbh a bhí faoina broinn . . . B'fheasach don mháthair nach raibh inti ach céadghearrcach an áil a bhí ar imirce go Críocha an tSamhraidh agus an tSó: an Ghé Fhiáin nach bhfillfeadh ar an bhfara dúchais go deo deo . . .

Ag Dul ar Aghaidh

BHEADH plaic bainte aici féin as an screamhóg righin ruadhóite murach go ndeachaigh ag an gcarghas ar an ngoin aici. Agus níorbh iad na súile rite scéiniúla a chuir an carghas uirthi ach an lámh shuaite a sháigh an malrach sé bliana idir an screamhóg agus a bhéal le barróg a chur ar shaol a bhí ag sciorradh uaidh sula raibh sé de dheis aige a ghreim a dhaingniú air. An Leathmhuigín bainne—cion bleán maidine na bó—leag sí ar chorr an bhoird le hais a fir é. Ach ní dhearna seisean ach amharc leataobhach dá shúile scólta a thabhairt ar láimh an mhuigín, cochaille righin réama a theilgean sa tine agus an tsráid amach a thabhairt dó féin an doras iata. Leagan súl a fir agus é ag tarraingt an dorais ina dhiaidh a thug dise gan an malrach a bhacadh faoin mbainne a sciobadh ach oiread. D'éist sí nóiméad leis an nglugar a bhí na súmóga bainne a dhéanamh i bpíobán an mhalraigh antlásaigh. Bhí sí ar hob a rá leis gur mhó an solmar a bheadh ar an screamhóg dá dtumadh sé sa mbainne í, ach níorbh fhiú an tairbhe an trioblóid anois, ar scáth a raibh fanta de bhainne ná de screamhóg agus ó nár chuir sí de stró uirthi féin an méid sin a rá i dtosach. B'fhusa léi é a dhéanamh an uair sin ná a rá anois. Bhí a teanga mar bheadh boilg ann i gceárta bhruite . . .

Thóg sí mám de dhíogha coirce ó thóin an chomhra, chroith sí ar an urlár é agus d'oscail sí an púirín caolaigh sa gcúinne. Ach níor chuimhnigh sí, nó gur fhógair sí 'tioc tioc' agus nár fhreagair aon ghrág a fáir, gur chrinneadar cnámha na circe deireanaí inné roimhe sin. Ar a dhul amach di i gcoinne canna uisce d'fhan a hintinn ar nós is dá mbeadh sí i ngreamú sa lá inné agus gan gair aici a réiteach. Ag teacht isteach an chéim di leag sí an canna ar phúirín na ngéabha a bhí in aghaidh chlaí Gharraí an Tobair mar a dhéanadh sí i gcónaí agus canna i ngach aon láimh léi. Ansin d'áitigh uirthi den bhuíochas di ag iarraidh a aimsiú ina hintinn féin an inné nó seachtain ó inné nó mí ó inné a bhí géabha go deireanach sa bpúirín sin. Agus leis an gcaoi a raibh cúrsaí a saoil, agus na seachtainí agus na laethanta le ráithe anuas ag dul thar a chéile agus ag teacht salach ar a chéile agus i bhfostú ina chéile ina hintinn, bhí sí ar a cromada agus an chomhlachín chláir bainte as doras an phúirín aici sular mheabhraigh sí di féin nach bhféad-fadh aon ghéabha a bheith istigh ann. Bhí a fear ag féithiú anonn ón gcarn aoiligh go dtí doras chró na mbeithíoch agus stráca aoileach-bhealaithe dá bháinín ar sliobarna taobh thiar leis, mar bheadh deoraí de dhiabhal i bhfostú ann. Ar bhaint an phionna dó as lúbán an dorais thug sé amharc giorraisc faoin tsráid agus ar feadh ala an chloig d'fhostaigh sé súile na mná ina shúile piolóideacha féin. Ach níor scrúdaigh na súile piolóideacha faoina croí í chor ar bith. Chuaigh sé ó aithne uirthi go ceann nóiméid. Ansin chuaigh sé ó aithne phósta agus chéileachais uirthi. B'fheasach di i gcaitheamh na faide gur isteach i gcoinne an asail a bhí sé ag dul, lena shrathrú agus le hualach aoiligh a thabhairt ar an ngort fataí i mbarr an bhaile, mar ab iondúil leis gach uile mhaidin. Thug sí obainn a rá leis nár ghar dó an chruóg sin a chur air féin, faoi nach raibh síol ag gabháil leo anois, ach cér chall di an oiread sin dá anró a fháil agus fios maith aige féin air.

Scaird sí an t-uisce sa bpota beag agus chroch sí ar an

tine é, agus gan d'údar aici leis ach go mbruitheadh sí
brúitín de bhunanna cabáiste do na cearca an tráth sin
gach uile mhaidin. Ní raibh ann ach go raibh an t-uisce ar
an tine aici san am ar chuimhnigh sí nach raibh cearc ná
eireog aici anois. Chuaigh sí amach leis an mbó a sheoladh
go Garraí an Chladaigh, mar a dhéanadh sí i gcónaí tar
éis an malrach a réiteach i gcomhair na scoile. Fuair sí a
fear roimpi sa gcró agus an t-asal scaoilte amach ar an
tsráid aige. Tháinig sé anall as cúinne an asail go scaoileadh
sé an bhó freisin. Rud ab annamh leis, é féin a cheangail an
bhó an oíche roimhe sin agus glas-snaidhm a chuir sé i
leaba cuachóige a mhná. Bhí an tsnaidhm ródhocht, agus
in áit í a scaoileadh ba réidhe leis an braighdeán a bhaint
amach as an maide ceangail ar fad agus é a chaitheamh suas
abail braighdeán an asail ar an tsail thrasna go mbeadh
cruóg leis tráthnóna arís. A dhath caidéise níor chuir
ceachtar acu ar an duine eile. Thug sise chun cruinnis go
mbíodh an fear bailithe leis den tsráid an tráth sin gach uile
mhaidin. Ach sular tháinig a leathléas eile tuisceana di
nach raibh síol le cur i dtalamh, bhí an scéal téaltaithe
glanoscartha as a hintinn ar fad.

Mar ab iondúil léi, chothaigh sí cos na bó a raibh a
heolas féin aici go Garraí an Chladaigh. Ar an mbealach go
dtí bóthar an rí sea chuimhnigh sí gur fhág sí an pota beag
'thíos' agus gan an tine a dheasú faoi, agus nár réitigh sí
an malrach faoi chomhair na scoile. Ach níor thúisce a
d'fhéach sí le crú a chur ina thosach ná bhí a hintinn mar
choire uisce ar chaor thine agus an scoil, an malrach, an
pota beag agus an bhó ag freagairt aníos abhus agus thall
mar shúileoga mallachta ar a huachtar. Agus ar an toirt
ghineadar sin súileoga eile. An t-aonach. An t-airleacan a
bhí seanchaite aici. Síorcheilt a hainriochta ar an gcomhar-

sa. Na síolta a bhí ídithe. An plúr 'committee' a bhí geallta agus nár tháinig. Agus an 'poorhouse'. Chuaigh na súileoga chomh mór chun seachmaill uirthi agus gur chinn uirthi ceann a shonrú thar a chéile, agus rinne sí ar a haghaidh.

Ba lú tapa an bhó inniu ná aon mhaidin eile, ach níor éiligh sí aon bhroid a chur inti. Fiú is iad ag teacht amach i mbéal bhóthar an rí, agus bonnán gluaisteáin ag sianaíl go goilliúnach gartha, níor chuir sin farasbarr deifre uirthi féin ná ar an mbó le bóithrín an chladaigh thall a bhaint amach sula mbeadh an gluaisteán ina mullach. Seabhrán gaoithe an ghluaisteáin ina crioslaigh agus cnáfairt a chuid coscán le hais ucht na bó a bhain bíogadh aisti den bhuíochas. Dá maraíodh an gluaisteán an bhó agus iad i bhfoisceacht dhá lá de lá an aonaigh! Ansin a tháinig an smaoineamh di den chéad uair dá maraídís féin an bhó agus a hithe! Bheidís básaithe roimh lá an aonaigh agus iad leathbhliain i mbéal a chéile ar angar agus ar anó. D'fhéach sí leis an scéal seo a bharraíocht. Ach anois mar chró cúng snáthaide a mbeifí ag iarraidh a thrí nó a ceathair de thuintí a chur inti in éindigh a bhí a hintinn, agus ní raibh smaoineamh ar bith ag toilliúint inti lena liachtaí ceann is a bhí ag teacht salach ar a chéile. Níorbh é an céalacan féin ach an síorchuimhniú faoin gcéalacan, faoin airleacan, faoin 'gcommittee', faoin aonach, faoin mbó, faoi chuid na hoíche agus faoi chuid na maidine a chlaochlaigh a céadfaí sa meath mhartraithe a rabhadar. Agus ó tharla nár fhéad sí cuid na maidine a sholáthar in aon áit inniu bheadh cead críonta ag a hintinn feasta, mar bheadh ag seanlong thráchta ar ghrian an chalaidh tar éis a lucht deiridh a thabhairt i dtír. Ba mhór an só di go raibh an mothú bainte aisti agus a céadfaí claochlaithe. Gach uile uair dá dtugadh sí faoi na smaointe a dhéanamh bhuaileadh an daol só sin a colainn. Thionsclaíodh mar bheadh daigh ann ina broinn. Speireadh sí a carbad agus a teanga ina gáinní íota. Bhriseadh sí ina balscóid i gclár a héadain go leathnaíodh a cuid smaointe ina mílte súileog os comhair a súl san aer. Bhí a céadfaí corpartha i gcoraíocht ghéar le chéile, a fhearacht is dá mbeadh gan a bheith i ndán ach don cheann ba nimhe neanta acu an treascairt a shárú. Amanta b'facthas di go raibh fuaimeanna na cruinne fré chéile ina cluasa agus, dá bhrí sin, nach raibh sí in ann fuaim aitheantais ar bith a aithneachtáil. Scaití eile chlaoch-laíodh a héisteacht ar fad agus ina leaba thagadh amharc dochoimseach neamhphearsanta, ach gan feiceáil gan grinneas gan sonrú in aon rud thar a chéile ag siúl leis. Faoi cheann scaithimh arís a blas a bhorradh go mbíodh goirteamas gach sáile agus díolaim meala gach corcóige ar rinn a teanga.

Maidin chineálta dheireadh Faoillte a bhí inti. Gal chumhra as ithir. Pocháin ag goineachan ar chrann. Duille glas súmhar ar rosán agus roschrann thar claí. Bhí ceiliúr cúplála loin, méileach uain aonraic, agus tuairgínteacht taoille tuile rabharta móire le duirling mar bheadh dúil-eamh garach eicínt ag déanamh feola dá bhriathar ag ionchollú an Nádúir óigh. Ach dise ba shaol é nach raibh gafach le céadfaí an duine. Saol gan scéimh gan chumhracht gan bhlas gan fhuaim. Saol gan fad gan leithead gan tiús gan tacaíocht gan arann. Saol gan rún gan soiscéal gan teastas a thuismithe ná a chríocha déanacha. Ba gheall le saol é a bheadh ag teilgean a chuid airíona aithnide agus nach mbeadh sé de ghus ann goití úra a chur de.

Seamaidí féir ná duille súmhar ná sceach níor chrinn sí faoina fiacla inniu, mar a dhéanadh sí go dúlaí gach uile mhaidin gus nuige seo. Ba bhéas léi freisin moilliú ag maolbhearna an Gharraí Ghleannaigh. Ag seoladh na bó di gach uile mhaidin isteach an mhaolbhearna sin a théadh sí ag sracadh an bhiolair a bhí sna logáin uisciúla ar chúla na gcríoch. Is ann a dhéanadh sí aicearra freisin de shiúl oíche leis na síolta fataí céadfhómhair seo acu féin sa gCeapachín a thochailt agus a bhruith sa mbaile gan fhios dá fear. Bhí biolar sna logáin fós agus iomairí gan tochailt sa gCeapachín, ach ní raibh sise sách dúlaí a bheith beo, ná an oiread de spleodar an tsaoil inti, le go dtiocfadh sí dá soláthar. Tar éis ala an chloig thug sí bosóg don bhó a bhí ag sracadh féir uaibhrigh le claí agus rinne sí ar a haghaidh.

Ar a haghaidh go dtí Garraí an Chladaigh leis an mbó, mar a rinne sí inné agus arú inné agus seachtain ó inné. Bhí Garraí an Chladaigh i bhfostú i gcró a hintinne agus a hanama freis an aonach, fre na tráthanna bídh a d'fhéad sí a thabhairt chun cruinnis agus na tráthanna arbh éigean di troscadh. Siúl támáilte a rinne an bhó, ag sracadh dosán féir den cholbha agus ag cangailt leath an dosáin faoina fiacla chúns bhíodh sí ag slogadh na leithe réchrinnte eile siar ina cíor. Cuid den fhéar uaibhreach a raibh glaise agus súiteán mór ann i gcosúlacht agus a mheabhródh duit bainne bleachta ó d'fhiacail síos ar chaisín do chroí. Rug sí uair ar ladhar den fhéar glas as béal na bó, ach bhí drad na bó ródhrogallach faoi scaradh leis agus lig sí uaithi arís é gan aon araoid a chur uirthi ní ba mhó.

'Deaide!' Ní thógfadh sí a crobh de chairín na bó go mb'éigean dá malrach breith ar thosach a naprúin sular lonnaigh leagan a súl air. 'Deaide!' arsa seisean, agus gach uile shiolla dá chuid cainte scagtha ó chéile ag an meacan saothair agus anbhá a bhí ann. 'Amuigh i gcró na mbeith-íoch . . . na braighdeáin faoina mhuineál . . . agus é 'sliobarna as an tsail . . . agus a shúile iompaithe 'na cheann

. . . mhama . . . mhama . . . téirigh abhaile go beo . . . beo.'
'Maith buachaill . . . ar sliobarna as an tsail.'

Bhain na focla tine chreasa as cró a hintinne, mar bhain
coscáin an ghluaisteáin ar ball, agus sheas sí d'aon iarraidh
. . . Ach bhí a fhios aici go raibh sí ag seoladh na bó go dtí
Garraí an Chladaigh mar a dhéanadh sí gach uile mhaidin.
Bhuail sí bosóg ar an mbó arís faoi cheann scaithín . . .
arae b'fhusa a dhul ar aghaidh. Ar nós mar shníomhfadh
séideadh gaoithe i seomra dorcha téada duán alla anonn
agus anall, sea bhí uige a cuid smaointe sise ag sníomh agus
í bonn ar aon leis an mbó spadánta ag déanamh ar a
haghaidh . . .

Lá Scíthe

NÍOR thaitnigh an gúna nua leis. Bhuel, sin é a dúirt sé. Dúirt sé nár thaitnigh a gúna leis. Tá a fhios ag an lá nár chaintigh sé beag ná mór ar na bróga an chéad uair. Cén mhaith a dhul siar air? Dúirt sé nár thaitnigh an gúna leis agus sin é a raibh ina thimpeall . . .

A theacht ina coinne chomh luath sin agus gan a dinnéar slogtha ceart fós aici. Agus gurbh é an Domhnach an t-aon lá a raibh nóiméad scíthe aici. Ise a dúirt leis a theacht ag a dó. An raibh mearbhall á bhualadh? An mbeadh spré ar bith fanta aici, a rá leis a theacht ag a dó agus fios aige nach mbeadh sí leathréidh? Bhuel. Bhuel. A leithéid d'fhear . . .

Cnocadóireacht. By Dad féin. Cnocadóireacht agus an fiach dubh ag cur a theanga amach. Ise a dúirt go ngabhfaidís ag cnocadóireacht—dá mbeadh an lá go breá. Ó, chuir sí agús ann. Ar dhúirt sí dá mbeadh an ghrian ag scoilteadh na gcloch go ngabhfaidís ag cnocadóireacht? Ba é a fhearacht sin ag a dó a chlog é. An raibh maith rud ar bith a rá? Ní abródh sí dada feasta . . .

A dhul go Brí Chualann. An raibh sé sásta fanacht ina staidhce go tráthnóna go n-éiríodh bus nó traein leo nach mbeadh ag cur thar béal? Ar chuimhnigh sé ar bhrotainn na gcúlsráideanna? Fear eisean agus ba ríchuma leis. An raibh tuiscint ar bith ann? Fios maith aige go ngoillfeadh an ghrian uirthi agus go dtolgfadh sí slaghdán as allas. Ise a dúirt leis aréir a chulaith shnámha a thabhairt leis. Mhionnódh sé an leabhar air. Bhuel. Bhuel. Bhuel. A leithéid d'fhear . . .

Í a thabhairt isteach i dteach plúchta pictiúr a mhaca-
samhail de lá. An ndearna sé éagóir eicínt ar an ngrian,
faoi rá is go raibh sé ar a chaomhúint uirthi a mhacasamhail
de lá? Agus dá mbeadh pictiúr ní ba mheasa i mBaile Átha
Cliath is ann a thiocfadh sé. A leithéid de phictiúr. Ní
fhéadfadh sé a rá nach é a d'éiligh a theacht chuig na
pictiúir. Sular fhágadar a teach lóistín sise, deile. Thiocfadh
sé á shéanadh. An raibh saochan ag teacht air? Dúirt sé é
nó níor dhúirt. Ise a bhí ag déanamh bréag, b'fhéidir. Ise a
bhí ag déanamh bréag agus í ag an altóir ar maidin. Cé
acu a thairg a theacht chuig na pictiúir? Cén mhaith a
bheith ar an leiciméireacht sin? Chaithfeadh sé gur airigh
sé buille bog eicínt inti agus a bheith ar an gceird sin léi.
Gan aici ach an t-aon lá sa tseachtain agus é sin féin ó
rath uirthi . . .

Fanacht le bus. An raibh sé ag ceapadh go dtiocfadh sí
cúig mhíle dhéag i seanbhus corrach go Brí Chualann? An
raibh splanc ar bith céille fanta aige? Í féin a shacadh
isteach i mbus lá mar sin. Go leonfadh daoine a cosa agus
go suífidís ar a gúna nua, an ea? By Dad, ba shónta an
mhaise dó é má bhí sé ag súil go gcaithfeadh sí an lá ag dul
go Brí Chualann i mbus a bheadh ag cur thar maoil agus a
bheadh ag seasamh gach uile phointe. An raibh a fhios aige
go raibh an traein chor ar bith ann? Ní chuimhneodh ar
bhus ach fear nach raibh sméaróid ar bith ina cheann. Ise
a dúirt a dhul ar an mbus i dtosach! Dar fia! Nach maith
a chaithfeadh sé an milleán a bhualadh thall uirthise? Ní
ghabhfadh sí faoi aon mhilleán nár thuill sí. Bíodh fhios aige
sin. Dá ndéanadh sé a shamhlú léi ní ba mhó gurb ise a
labhair ar a dhul ar an mbus, abhaile ar fad a ghabhfadh sí.

Cén smál a bhí air chor ar bith agus a tabhairt ar an
traein? An ndeachaigh sé ar thraein ó Bhaile Átha Cliath go

178

Brí Chualann aon Domhnach samhraidh riamh? Nach
raibh a fhios aige go mbeadh sí lán go béal? Cén sórt fear
a bhí ann thar fhear ar bith? Bhí sé sách dona duine a
thabhairt ar an traein, ach isteach i gcarráiste a raibh daoine
ina srathacha ann. Breá nár fhan sé leis an gcéad traein eile,
nó a dhul isteach i gcarráiste eicínt eile féin. Ní bheadh sé
de rud ann an suíochán folamh sa gcúinne a thapú sula
ndeachaigh an choigealach mhór bheaite á hionfairt féin
ann. Léanscrios ar na páistí luainneacha sin! Agus na
máithreacha teanntásacha, luathchainteacha. A liachtaí
uair a dúirt sí leis nár thaitnigh canúint Bhaile Átha Cliath
léi. Ná rí rá ná sioscadh páistí. Dia linn! Bhí sí caochta ag
píopaí. Leath an bhuidéil phórtair dóirte ar a gúna nua
ag an magarlach caillí sin. Dia á réiteach! Arbh eo é an
áit le ise a thabhairt, áit a raibh cailleacha ag slogadh
pórtair? Arbh in é an áit le cailín gnaíúil ar bith a thabhairt?
A mhaimín go deo, sheas an cráisiléad sin ar a cois agus bhí
a bróg nua as a cuma aige. Dúirt sé fanacht go dtí an chéad
traein eile. An ar a cluasa a bhí sé? Dúirt sé a dhul ar an
mbus. Dúirt sé a dhul ar an mbus. A Mhaighdean! Agus
nuair a shamhlaigh sí a dhul ar an mbus gur beag nár ith
sé í. An ag stealladh magaidh fúithi a bhí sé? An raibh a
laghad náire ann is go séanfadh sé gur dhúirt sise tar éis
an teach pictiúr a fhágáil dóibh go mb'fhearr an bus? Ní
raibh call ar bith lena láimh aici. Ó chaithfeadh sí fanacht
ina seasamh bhí sí in ann í féin a chinnireacht d'uireasa a
láimhe seisean. Dia mór á réiteach! Nach mairg nach
abhaile a chuaigh sí . . .

Deile, cé a dúirt léi a culaith shnámha a fhágáil ina
diaidh ach eisean? An raibh duine eicínt eile ann lena rá
léi? Ar shíl sé go raibh sí chomh díchéillí agus go dtiocfadh
sí amach lá aoibhinn mar sin ar thrá Bhrí Chualann

d'uireasa a culaith shnámha? Níor ghar do dhuine a bheith á mheath féin leis. A Mhuire dhílis, a leithéid d'fhear! Síneadh sa ngaineamh go ndéanfadh malraigh cis ar easair di. Ní bhfuair sí a dóthain díobh ar an traein inniu, ná ar an mbus ag dul chuig a cuid oibre gach uile mhaidin. Suí síos ar aghaidh na gréine. Agus a fheasach dó go gcuirfeadh an scláradh gréine tinneas cinn uirthi i gcónaí. Éisteacht leis an gceol driopásach. Agus ceas uirthi sé lá na seachtaine lena raibh de cheol ó theach dhíolta gramafón ag béal a dorais. A dhul ag spaisteoireacht síos agus suas ar an bpromanád crua go dtógadh na bróga nua na boinn aici. Thuigfeadh fear ar bith eile in Éirinn, cé is moite dó féin, nach ceart an iomarca siúil a dhéanamh le bróga nua go mbí duine déanta orthu. Siúl síos agus suas ag tornáil a bealaigh thar phramanna. Ar shíl sé go mba mhór an t-éirí amach di an lá a chaitheamh ag breathnú idir an dá shúil ar Ghiúdaigh iata bhealaithe? Ní móide go raibh a fhios aige gur freo a bhíodh sí ó mhaidin go faoithin sé lá eile na seachtaine. A Mhaighdean! An róthámáilte a bhí sé geábh a thabhairt suas an cnoc ar an bhfionnuartas, ó tharla nár thug sé cead di a culaith shnámha a thabhairt léi? Dúirt sé a dhul suas an cnoc. Dar príosta! Dúirt sé é. Cén uair a dúirt sé aon cheo a raibh barainn ar bith air? Cidh Muire gach uile uair dá mbíodh sí tráthúil faoi bheart eicínt ar fónamh nach mbeadh cás ná náire air a rá gurbh é féin a dúirt i dtosach é. A Dhia na bhFeart! Nach hí a bhí reicthe aige?

Ní hé a dúirt a theacht ag cnocadóireacht. B'fhéidir nárbh é a mheabhraigh ar theacht amach ón stáisiún dóibh i mBrí Chualann go n-ionsóidís an cnoc. Ní shéanfadh. Ní raibh gair aige a shéanadh. Ó, ní raibh a fhios aige go dtiocfadh sé ina bháisteach. Nuair a dúirt sí go raibh duifean thiar, ag magadh fúithi a thosaigh sé. Ó, níor thosaigh. An dúil a bhí aige an fhírinne a chur as a riocht. Craobhmhúr. Ba mhór an sólás é sin. Ní fhliuchfadh craobhmhúr duine, b'fhéidir. Foscadh. Bhí a fhios aige cá raibh foscadh nuair a bhí sí báite. Dia dílis á réiteach! A gúna millte. A bróga millte. Ruaig shlaghdáin a bheadh de leannán aici agus seachtain as obair. Nó a bás a tholgfadh sí as. Níor inis sí riamh dó a dhonacht is a théadh amlua di. Múisiam! Fuair sí amach cé air a mbeadh múisiam. Í féin a thogair a theacht amach ina cóiriú. Í féin, a mhaisce. A Dhia agus a Chríost, agus go raibh sí ag dul suas ina seomra i gcoinne a cóta báistí san am ar bhac sé í. Ababúna! Nár bheag an dochar di a bheith ag caoineachán . . .

Bhí sé ag ceapadh go dtriomódh sí í féin mar sin ina cuid éadaigh fliuch chois na tine. A leithéid d'áit lena tabhairt. Agus a liachtaí teach tae eile ar fud an bhaile. An chailleach fhreastail sin. Níor mhór canda *dynamite* le bealadh a chur faoina hioscadaí. Duine nach mbeadh pian ná tinneas air dhéanfadh sí tinn é. Agus dhéanfadh seisean duine tinn lena chuid místuaime agus seafóide. Cé mhéad uair ar inis sí dó nach n-íosfadh sí aon 'arán baile'? Nach raibh a fhios aige nach 'arán baile' a gheobhadh sé in áit den tsórt sin? Ó, chreid an pleota na fógraí a bhí amuigh acu le hairgead a dhéanamh. Ach b'fhearr a fhios aigesean gach uile shórt. Chaithfeadh sé a dhul ag tónadh an aráin bhaile uirthi os comhair a raibh istigh, nó go mb'éigean di a dhul á ithe, leisce na sáraíochta. An dáiríre a bhí sé? D'ith sí dá deoin féin é. Ar chuala aon duine riamh a leithéid de phait? Í féin a thug roghain don teach sin. A dheaidín go deo. Ní eisean a labhair ar tae an chéad uair mar sin. Ó, ghabhfadh sí abhaile . . .

Dúirt seisean an traein a thógáil. Ise a dúirt a dhul ar ais

sa mbus. Ise a thiocfadh sa mbus a raibh lucht óil Bhaile
Átha Cliath ann, tar éis a gcaitheamh amach as tithe ósta
bona fide Bhrí Chualann. Sin é an rud a chleacht sí, mar sin.
Brú, pótairí, amhráin thútacha, gráiscínteacht. A Dhia
go deo á réiteach! Bhí a ceann scoilte ag an tsianaíl sin. A
cos leonta arís. Shuífeadh an pótaire sin, a raibh leath
deiridh air mar bheadh folach bleithí ann, ar a gúna. Bhí
sé lioctha ar fad anois. Ní chónódh an díolúnach sin go
gcuireadh sé barróg uirthi agus ól ag sruthlú as a anáil.
Shíl sé. Shíl sé. Ag síleachtáil a bhíodh sé i gcónaí. Dia á
réiteach! Dia mór á réiteach . . .

Tuirlingt den bhus sular shroich sé ceann cúrsa. Ba
chosúil lena chuid leibideachta é. Tram nó bus a shamhlú
abhaile léi tar éis na tuairte sin. Cá bhfuil an té a dhéanfadh
é ach é féin? *Taxi!* Nach mbeadh sé siúlta abhaile aici ó
chuaigh sé go dtí bothóg an ghutháin le fios a chur air. Í
a choinneáil ansin ar chúlsráid fhuar, dhá mhíle ní b'fhaide
ó bhaile ná dá dtéadh sí go ceann cúrsa ar bhus Bhrí
Chualann. Agus a cuid éadaigh fliuch báite. Ní chuimh-
neodh sé go mba mhór an mhaith uirthi siúl abhaile le í féin
a théamh. Dá dtapaíodh sé an tram, nó bus féin, bheadh sí
sa mbaile faoi seo, a cuid éadaigh athraithe, an tine ina
caor aici agus a suipéar faoi réir ag bean an tí . . .

Cén fáth é a bheith ar an gcaint sin? Madraí. Nach maith
a bhí a fhios aige nár thaobhaigh sí na madraí riamh dá
deoin féin. A Thiarna Dé! Agus fios maith aige nár lú dar
léi an sioc ná damhsa samhraidh. Ar shíl sé gurbh é an
t-airneán a bhí i gcónaí ann? Leabhra a tharraingt anuas
chuicise nach raibh ionú aici thar fhéachaint trí *Peg's
Paper*. Leadógaíocht! Leadógaíocht i gcónaí. Na rudaí a
bhí ag cur síos leis féin i gcónaí, i gcónaí. Ba chuma faoi
rud ar bith eile ach na rudaí a bhí ag cur síos leis féin.

Madraí. Leabhra. Leadógaíocht. Ní raibh suim soip aige
inti féin. Dá tabhairt chuig pictiúr lá samhraidh. Chuig an
bhfarraige i dtraein agus ar ais ar bhus. Suas ar shliabh
lena bá. Cur faoi deara di arán baile a ithe a fhobair fonn
múisce a chur uirthi. *Taxi* nach raibh fios an bhealaigh
aige a thógáil abhaile. Ní raibh gar á shéanadh. Ní raibh
siad feilteach dá chéile chor ar bith. Ní raibh siad ag teacht
le chéile faoi rud ar bith. Níor dhúirt sí riamh leis gur
thaitnigh léi é a chloisteáil ag trácht ar leadógaíocht, ar
leabhra ná ar na madraí. A ceann fine ní fhéadfadh
réiteach leis. Cá bhfuil an bhean a d'fhéadfadh? Fear a
thabharfadh chuig pictiúr thú i lár an Domhnaigh agus a
chuirfeadh d'aon lá scíthe ó rath. B'útamálaí é. Níorbh
é a díol sise de chaoifeach é. Dá thúisce dá n-éirídís as an
gcumann léanmhar seo b'amhlaidh ab fhearr don dís acu
é. Thug sé a dheargéitheach. Níorbh ise a thosaigh ag
brú air arís an uair dheiridh ar tháinig briseadh amach
eatarthu. Nach aige a bhí an t-éadan, an cleiteachán?
Ní bhrúfadh sí air agus bíodh Éire taobh leis. Is iontach é
nach n-agródh Dia air a leithéid a rá. Inseoidh an aimsir
an mbrúfaidh sí air . . .

D'fhág sé istigh a chulaith shnámha roimhe sin. Ní
thiocfadh sé isteach á hiarraidh. Ar theastaigh a chulaith
shnámha uaidh? Bhuel, cén chiall nach dtiocfadh sé isteach
mar sin? Ródheireanach. Ní raibh sé istigh chomh deirean-
ach sin riamh cheana. Le gairid a d'éirigh sé as meán oíche
na gcártaí. Ó aréir. Bhí faitíos aige roimh bhean an tí.
Ó aréir. B'fhéidir gur ag éirí róghalánta a bhí sé. Rud
eicínt a rinne sí féin air mar sin. Mura ndearna, tuige nach
dtiocfadh sé isteach? Rinne sí rud eicínt air gan fhios di
féin, b'fhéidir. Má rinne nach n-inseodh sé di é? Ní dhearna,
agus ní thiocfadh sé isteach. An raibh sé cinnte dearfa nach

ndearna sí dada air? Bhuel, breá nach dtiocfadh sé isteach mar sin? Ní raibh aon suim aige inti. A dhath suime. Ligfeadh sé isteach abhaile léi féin í. D'imeodh sé gan oiread is slán a fhágáil aici. Slán ná slán ná sláinín féin. Di féin, féinín, féinín . . .

Fanóidh Liam le goradh a thabhairt dó féin. D'ólfadh Liam cupáinín tae dá scairdeadh duine deas amach dó é. D'íosfadh Liam stiallóg aráin dá gcuireadh duine deas im air dó. Póg do Liam. Póg eile do Liam. Póigín do Liam. Póigín bheag bhídeach bhídeach. Póigín dom féinín, a Liam. Blas gach meala. Mo chraoibhín chumhartha. Ní bheidh mé sách go deo, a Liam. Cén fáth nach mbíonn Liam ag caint? Ag caint lena chumainnín féinín féin— faoi rud ar bith. Thaitneodh rud ar bith a labhródh a Liam féin faoi lena chumainnín féinín féin. Faoi mhadraí. Nó leabhra. Nó leadógaíocht. Taitníonn leadógaíocht lena ghráín féin. Sea, d'athraigh mé an gúna agus na bróga? Tá mé go hálainn sa bhfeisteas seo, an bhfuil? Ceapann Liam go bhfuil mé go hálainn sa bhfeisteas seo. Sea, sílim go gcuirfidh mé an gúna agus na bróga ar ais. Níl siad ag teacht le chéile. Agus measaim féin nach bhfuil siad ag teacht dom go maith. Céard déarfadh Liam? Rud ar bith a déarfas Liam. Sé Liam mo chinnire . . .

Abhaile. Ní ligfidh mé uaim chor ar bith thú. Tá mé chomh láidir leat anois. Chuir gaoth an tsléibhe spreacadh ionam agus chuir an múirín gréine ag fás mé. Agus an t-arán baile sa mbialann siúd, chuir sé urrús ionam. An gcuimhníonn tú ar an dream súgach a bhí sa mbus? Bhí mé in arraingeacha gáirí acu. Taitníonn daoine súgacha liom agus iad ag gabháil fhoinn. Nach dtaitníonn siad leatsa, a Liam? Is mór an feall nach n-ólann Liam braon. An tseanbhean úd sa traein. Fhobair nár phléasc mé mé féin ag gáirí agus í ag ól an bhuidéil phórtair. Is mór an spórt éisteacht le canúint Bhaile Átha Cliath. Nach dtaitníonn sí leatsa, a Liam? An pictiúr, bhí sé thar cionn. Tuige a raibh fonn ort imeacht uaidh, a Liam? Tabharfaidh tú ann san oíche amárach arís mé go bhfeicimid a dheireadh. Déan, a Liam. Liam mo chinnire . . .

Oscailt an Dorais

An guthán a leagan uaidh d'aon iarraidh i ndiaidh a rá léi go dtiocfadh sé anocht. Agus gan ionú a thabhairt di a inseacht dó an mbeadh sí ag baile nó nach mbeadh. Gan uain a thabhairt di an onóir a roinnt leis. Gan oiread is a leithscéal a ghabháil faoi loiceadh an oíche faoi dheireadh, is í corradh agus dhá uair ag fuireacht leis . . . Ní dhéanfadh sé lena mharthainn arís é, d'fheicfeadh sé féin air. Nó dá ndéanadh, ba lena mhalairt de bhean é. Nárbh í an bhaothóigín í is an oiread sin foighde a bheith aici leis? Breá nach fadó a rinne sí leis é? Breá nach ndearna sí é an lá ar chomhlíon sé an bhandáil agus é óltach? Nó an oíche ar bhain sé aistear aisti go dtí an taibhdhearc agus a mb'éigean dóibh bualadh abhaile arís faoi nár chuir sé na suíocháin in áirithe roimh ré? Nó an lá ar fhág sé ag fálróid síos suas an tsráid í ar feadh uaire an chloig agus é féin agus cara leis ag líonadh a méadaile istigh i dteach tábhairne? Bhí a údar aici an lá sin. Bhí a údar aici a liacht lá ar fhág sé leathuair agus trí ceathrúna uaire ag fanacht ar an tsráid í, tar éis gurb é féin a cheapadh an tráth i gcónaí. Nó an iomad uair nár tháinig sé beag ná mór agus nach bhfaca sí de in imeacht seachtaineacha i mbéal a chéile.

Ag brath ar é a dhéanamh i gcónaí . . . Ach ghéilleadh sí dá chuid bladaireachta agus gaileamaisíochta ina dhiaidh sin. Róghéilliúnach, rófhulangach, ró-sho-mhaiteach a bhí sí. Sin é a d'fhág mar a bhí sé é, nár mhiste leis a bheith in am nó gan a bheith, nár mhiste leis bóna air ná de, nár mhiste leis claimhreach ach an oiread is dá mba ghlan-

bhearrtha dó. Dá gcuireadh sí stuaim ar a teanga agus gan a
thabhairt le fios dó go raibh sí chomh geal dó is a bhí, níor
mhóide go mba chall di stuaim a chur ar an bhfoighid
d'acht agus d'áirid chois an teallaigh, ar choirnéil sráid-
eanna, ag doirse taibhdhearc agus tithe tábhairne . . . Ach
deile cén chaoi a mbeadh sé, agus í aige i gcónaí 'ar ardú
orm'? Mhill sí é. A chuid gruaige féin ní chíoradh sé, ná
oiread agus rónóg a chuimilt dá bhróga anois. Agus le
gairid ní chnagadh sé ar an doras, ach seasamh ar aghaidh
a fuinneoige sise agus fead a ligean uirthi an doras a oscailt,
mar dhéanfadh stocaire coirnéil . . . Nó gur chuir sé thar
a hacmhainn í . . . Go raibh sí reicthe ceart críochnaithe
aige . . .

Ach anocht roinnfeadh sí an onóir leis. D'imeodh sí
amach faoin gcathair d'aon uaim le gan a bheith roimhe,
murach go raibh fúithi a gcumann a chur de dhroim seoil
gan a thuilleadh braiteoireachta. An rud a mhionnaigh sí
a dhéanamh, agus a fhobair di a dhéanamh a liachtaí uair
cheana, dhéanfadh sí anocht é. Agus an rud a thuar seisean
dó féin gheobhadh sé é—gheobhadh sé faoi na fabhraí é.
Rabharta de, díle de, ó chuir sé a buile chatha thar a
fulaingt faoi dheireadh agus faoi dheoidh. Bhí sí dearfa
anois nach raibh i ndán dó béasa a athrú. Nach raibh a
fhios aici go maith anois nach rabhadar gafach le chéile
ná feiliúnach dá chéile, agus go mba é lom an mhí-ádha
mhóir di a dhul faoi chuing an phósta le duine a bhí chomh
siléigeach drabhlásach leis. Cén smál a bhí uirthi agus é a
shamhailt mar chaoifeach riamh? Ortha mhallaithe eicínt
a chuir sé di, gur thosaigh sí ag tabhairt comhluadair dó
an chéad uair, agus fios maith ag a croí istigh an uair sin
féin agus i gcónaí ó shin nár dhíol comhluadair di é. A Rí
gheal na gcarad! Nach di féin a choiscfeadh sí an lionndubh,

an cantal, an challóid intinne agus anama, dá ligeadh an
carghas di fadó a rún a chur i gcrích. Ach b'fhearr go
deireanach ná go bráth. Déarfadh sí gach uile mhíle ní
anocht gan a dhath féin den ghoimh a bhaint as aon cheo.
B'iontas léi a dhaingne dhiongbhálta is a bhí a rún féin.
Bhí muinín aici aisti féin, níorbh ionann is riamh. Ní
shníomhfadh bladaireacht, ní bhogfadh trua, agus ní
choigleodh caíúlacht a rún anocht . . .

Fáir ná freagra ní thabharfadh sí ar a chuid feadaíle
anocht, nó go gcnagadh sé an doras go dea-bhéasach agus
go ligeadh bean an tí isteach é, fearacht a leithéid ar
bith. Ansin, ach a bhfaigheadh sí ar chlár na himeartha é,
b'fheasach di go paiteanta céard déarfadh sí . . . Sheas sí i
lár an tseomra i bhfianaise an scátháin mhóir agus chuir
sí péire uillinneacha uirthi féin, go bhfeiceadh sí arís eile
cén chaoi a dtiocfadh an ghoic sin dá cuid feirge. 'Tháinig
tú, ar tháinig? Tháinig tú nuair a d'fheil sé duit féin.
Síleann tú go bhfuil rud ar bith sách maith agamsa . . .
Fanacht ag locadóireacht ar an tsráid go dtograí tusa a
theacht . . .' Ghlan sí na deora dá súile, chuir sí fuinneamh
ina glór agus barrlasadh ina grua. 'Nó go líona tú d'eagán
le hól brocach . . . Níl tú múinte ná muiníneach ná tait-
neamhach . . . Ní fiú leat thú féin a bhearradh, do chuid
gruaige a shlíocadh ná bóna glan a chur ort féin ag teacht
faoi mo dhéin. Cumann gan chúitiú mo chumannsa. Meas
meirdrí atá agat orm gan fiú is coibhche na meirdrí ina
ómós . . .' D'ardaigh sí a glór go raibh sí gartha scréachánta.
'Is díol náire dom thú. Níor buaileadh an mí-ádh riamh orm
gur casadh orm thú, agus níor tháinig an séan i mo líon
go dtí anocht agus mé ag scaradh leat go héag.' Chuaigh
sí coiscéim ar a haghaidh agus tháinig claochlú ar a
glór arís ainneoin go mba nimhe neanta é ná roimhe sin.

'Sin é an doras, agus ná feicim i mbealach ná i ndearmad le mo lá arís thú' . . .

D'fhéach sí ar an gclog. Bhí sé ceathrú uaire deireanach cheana, arae gheall sé ar an nguthán a bheith ar fáil ag a seacht. Mura dtagadh sé chor ar bith. B'fheasach di ón aithne a bhí aici air nár mhairg air é a dhéanamh. Fear a bhuailfeadh isteach uait i dteach tábhairne le cara, a d'fhanfadh istigh uair an chloig agus a d'fhiafródh díot ar a theacht amach dó an raibh tú i bhfad ag fanacht. Fear a déarfadh leat, ar theacht chuig áit bandála trí ceathrúna uaire tar éis an ama dó, go raibh sé ag léamh leabhair agus nár ghoin a aire é go dtí sin. Fear a thabharfadh chuig an taibhdhearc thú tar éis gealladh duit go gcuirfeadh sé cuingir shuíochán in áirithe roimh ré agus ansin a déarfadh leat nár chuimhnigh a chroí orthu agus nach raibh neart air. Fear a bheadh óltach ag teacht i d'araicis ag a dó a chlog sa lá agus a déarfadh leat gur ól sé cupla pionta ar mhaithe lena ghoile. Fear a dtiocfadh falrach gáire ann agus a déarfadh nach raibh acmhainn ghrinn ar bith ag mná na linne seo, gach uile uair dá n-ionsaíteá é . . .

Fiche nóiméad tar éis a seacht. Anonn léi gur chrap sí cruitíní fuinneoige an pharlúis de leithreach agus gur fhéach sí síos agus suas an tsráid. Ach ní raibh sé le feiceáil in aon áit. Thaitneodh léi fanacht ina seasamh ansin ag féachaint ar an ruithne gréine ag priocadh ar chruach fhuinte na spáide a bhí ag fear an tí ag rómhar na hithreach sa gceapach taobh amuigh den fhuinneog. Ach shúigh sí í féin isteach, arae tháinig faitíos uirthi go mbraithfeadh fear an tí í, agus an dá fhaitíos go dtiocfadh an fear eile uirthi gan aireachtáil, mar a tháinig go minic cheana, agus go mbeadh sé d'údar agus d'éadan aige a rá léi 'go raibh sí ar bís ag súil leis' . . .

190

Cúig nóiméad fichead tar éis a seacht. Ní féidir dó nó thiocfadh sé anocht. Ba mhinic a loic sé, ach níor chuimhneach léi é ag loiceadh faoi dhó i mbéal a chéile. B'fhíor di. Bhí sé ag an ngeata ar bhuille na leathuaire. B'annamh leis gan a bheith ní ba mhoille ná sin. A Dhia á tharrtháil, céard a bhain dó chor ar bith? An raibh sé ag brath ar a dhul ar athrú béasa?

Sheas sé ar chiumhais na ceapaí ag comhrá le fear an tí. Bhí a dhroim léi agus amharc aici ar an gcoinleach choilgneach a bhí ar leathghiall leis, ar an gclúmhnachán a bhí ar a chuid éadaigh nua agus ar an bpáipéar nuachta réfhillte a bhí ag cur a phóca as a chumraíocht. Agus tháinig sé gan bóna arís. Nárbh é an mac doscúch é . . . Bhí sí á beophianadh féin ag iarraidh breathnú gan fhios air. Breá nach raibh sé ag teacht isteach?

Ag ceartú d'fhear an tí a bhí sé. Breith ar an spád a rinne sé agus ionsaí air ag rómhar na créafóige agus á socrú ina tamhainín bhláth. Nach splancfadh sin bean ar bith? Shílfeadh an té nach mbeadh eolas aige air go mba í an rómhar a roghain thar cheirdeanna na cruinne agus go mba í an bhráillín a bhaint den chorp gan an spád a fhágáil ina láimh. Shílfeadh, agus shílfeadh sé freisin, ón meangadh fáilí agus óna chuid goití, gur dhuine é nach ndearna leathchuma ar chailín riamh. Ceathrú don naoi agus é ar a tháirm rómhair fós . . . Tá tuirsiú a láimhe den rómhar aige cheana féin, mar tá sé ag leagan na spáide uaidh. Beidh sé ag feadaíl pointe ar bith feasta . . .

Sheas sí i lár an urláir agus chuir sí stiúir uirthi féin an athuair. Bheadh fuílleach ionú aici a cuid cainte a rá arís, ó tharla go mbeadh ar bhean an tí é a ligean isteach . . .

'Tháinig tú . . . síleann tú go bhfuil rud ar bith sách maith agamsa . . . Locadóireacht ar an tsráid.' Thuill sé sin. Ní bheadh sí i ndiaidh an méid sin air. 'Nár agraí Dia ort mé a fhágáil ag fanacht dhá uair an oíche faoi dheireadh . . . Nó go líona tú d'eagán le hól brocach.' An mbeadh sé caíúil aici é sin a rá leis? Thuill sé é. Ach ar thuill ina dhiaidh sin? Ní bhfuair sí riamh thar an mboladh agus a chuid cainte cineál leathnaithe. Ba mhór an éagóir air é a rá leis murar thuill sé é. 'Ní fiú leat thú féin a bhearradh.' Chuirfeadh sé a sheanscairt gháire as agus thosódh air faoi *'standard men—mass-produced men to suit all tastes and appetites —automata—genteel dastards—tailors' dummies.'* Dhéanfadh sé cíor thuathail di dá n-abraíodh sí sin. 'Meas meirdrí' . . . Ach bhí sé chomh maith di sciorradh amach agus an doras a oscailt dó—bhí sé ag feadaíl . . .